劉福春・李怡 主編

民國文學珍稀文獻集成

第一輯

新詩舊集影印叢編　第16冊

【康白情卷】

草兒在前集

上海：亞東圖書館 1929 年 4 月版

康白情　著
（署名：康洪章）

花木蘭文化出版社

國家圖書館出版品預行編目資料

草兒在前集／康白情 (署名：康洪章) 著 —— 初版 —— 新北市：花木蘭文化出版社，2016〔民 105〕

290 面；19 ×26 公分

（民國文學珍稀文獻集成・第一輯・新詩舊集影印叢編　第 16 冊）

ISBN：978-986-404-622-5（套書精裝）

831.8　　105002931

ISBN-978-986-404-622-5

民國文學珍稀文獻集成・第一輯・新詩舊集影印叢編（1-50 冊）

第 16 冊

草兒在前集

著　　者　康白情(署名：康洪章）
主　　編　劉福春、李怡
企　　劃　首都師範大學中國詩歌研究中心
　　　　　北京師範大學民國歷史文化與文學研究中心
　　　　　（臺灣）政治大學民國歷史文化與文學研究中心
總 編 輯　杜潔祥
副總編輯　楊嘉樂
編　　輯　許郁翎
出　　版　花木蘭文化出版社
社　　長　高小娟
聯絡地址　235 新北市中和區中安街七二號十三樓
　　　　　電話：02-2923-1455／傳真：02-2923-1452
網　　址　http://www.huamulan.tw 信箱 hml 810518@gmail.com
印　　刷　普羅文化出版廣告事業
初　　版　2016 年 4 月
定　　價　第一輯 1-50 冊（精裝）新台幣 120,000 元

草兒在前集

康白情 著
(署名:康洪章)

亞東圖書館(上海)一九二二年三月初版。一九二四年七月修正三版,書名改為《草兒在前集》,署名改為康洪章;一九二九年四月四版補遺,書名仍為《草兒在前集》,著者署名封面為康洪章,版權頁改回康白情。原書三十二開。

草兒在前集
康洪章著

奉致

文考樂賓公

淑妣楊太夫人之靈！

草兒在前集目錄

序……一

三版修正序……一

卷一

草兒在前……一

植樹節雜詩……四

桑園道中……六

石頭和竹子……九

送客黃浦……一一

女工之歌……一六

慰孟壽椿……一八
暮登泰山西望……二〇
日觀峯看浴日……二三
再見……二八
疑問……三二

卷二

雪夜過泰安……一
朝氣……四
江南……七
送許德珩楊樹浦……一〇
阿令配克戲院的悲劇……一四

卅日踏青會……一九
和平的春裏……二七
婦人……二八
從連山關到祁家堡……三一
鴨綠江以東……三四
紫躑躅花之側……三九
日光紀游十一首……四一
歸來大和魂（有序）……五七

卷三

晚晴……一
別國立北京大學同學……四

廬山紀游三十七首……一〇
鬭虎五解……九四
律己九銘……九七
西湖雜詩十六首……一〇一
一封沒寫完的信……一一〇
答別王德熙……一一六
風色……一二〇

卷四

天樂……一
太平洋上颶風……七
舊金山上岸……九

和平……一一
致悲哀的朋友……一二
再致悲哀的朋友……一四
四版重校書後……一
補遺
自得……一
天亮了……四
題仕女繡幀四首……一一
孔丘的逃亡……一四
答五妹玉璋……一八
哭祭先母……二〇

草兒在前集

目錄 6

序

草兒在前集是著者去前年間作的新詩集，隨興寫聲，不知所云，在初以爲不妨付印見志，出國後卻已淡了。春天得平伯寄來的序，才不得不編出來，且作了篇很長的自序。詩稿刪掉的很多。半年來思想激變，深不以付印爲然，覺得自序也太不對了。最近知道還沒有出版，且幸稿子雖不必毀，自序還可以改，於是另寫這篇短的。

草兒在前集是去前年間新文化運動裏隨着羣衆的呼聲，是時代的產物。要有功呢，是當時社會的；要有過呢，過去的我不能不負其責。平伯以創造的精神許我，謝不敢當！我不過翦裁時代的東西，表個人的衝動罷了。自由寫出偶然的情緒，我不是詩人。

幼時先父以詩教教我，自問還毫無所得。編這部集子的時候，每想到已不能再承庭訓，心痛不已。謝謝平伯為他作序。並謝謝古今中外影響我的詩人。

一九二一年十月五日，康白情序於加利福尼亞大學。

三版修正序

草兒在前集的改版，是初版出世後五六個內內就草定的。隨後讀書太忙，卻把這事忘了。三四個月以前，偶見某報有把這部集子八折出售的廣告，以為市場不佳，決定售完存書，即行絕版。不意最近得朋友的信，說是等不及我的修正稿，早已用原稿再版了。我雖感謝初版的讀者，卻不能不對再版的讀者抱歉。

修正稿刪去初版的新詩二十幾首，加入出國後所作沒經發表過的若干首；分為四卷。舊詩另刊河上集，以端體例。附錄新詩短論也刪去了。餘詩字句上略有修改。初版裏偶有錯訛，一律更正。去留的標準，什七八依著者臨時的好惡，什二三依讀者非我而當的批評。

去年冬，平伯從上海寄示西還集書後一篇，以為序視書的體裁而有，詩歌不宜有序，實覺先得我心。所以初版內的敘序也刪去了。

自己過去的陳迹，本來毫不介意，所以不大注意人家的批評。但批評有時恰當，也很足以令人明白過去，鼓舞現在，指導將來。非我而當的，已在修正版裏邊辦了，似不煩道。非我而不當與是我而不當的，言之無益。只有是我而當的，覺得不妨摘要錄出，以答愛好雅意，以奮讀者精神。除感謝各家批評的指導外，謹摘錄是我而當的諸家評語如次：

慧聲玫聲沙華評：「海闊天空的胸懷，親和愛好的心腸，我們可以在他的詩裏盡量的感到。」（見學燈）

潘力山評：「就你詩集全體論，舊詩已經做到水平綫上了，但很少出色的地方。或者舊詩已經做了幾千年，看厭煩了，無論何人做不出色來，也未可知。新詩各首有各首的趣味。我尤愛讀的是廬山紀游三十七首。這三十七首詩，眞見你的本領；從頭到尾，好像一篇文章；中間描寫得很細膩，而結構又非常雄渾；好似古人東征西征的長賦，又沒有他們那樣沈悶。在白話詩中，像這樣的著作，我才見頭一回呢。其次日光紀游十一首，也是這一類的著作。」

劉英士評：「廬山紀游有傳的價值，其雄壯處或勝歸來大和魂，只是在西湖做的未免太遜色了。」

李俊濘評：『草兒在前集是寫的。』

葉伯和評：『詩是用文字來描寫情緒中的意境的。但有些人偏重刻繪；有些人偏重音律。你的詩似乎可分出三個日期。第一期如送客黃浦，暮登泰山西望等首，是兩面兼顧的，而稍帶詞曲的音調。后來乃專重寫生的詩筆和自然的音節。如江南，從連山關到祁家堡等首，便要算第二期。此期內的詩多用排偶句子，足以使人感受整齊的美，但微覺有律詩中板滯之嫌。第三期當從太平洋上颶風起。此詩的氣魄，雖不能說後絕來者，眞是前空古人了。』

梁實秋評：『寫景是草兒在前集作者所最擅長，天才所獨到。……

「日觀峯看浴日」一首，描寫的工夫，可謂盡致了……。

但是這首詩本來是容易做得出色，因爲登泰山看浴日，本是一幅極雄麗奇詭的景致，非尋常的一山半水可比。惟以景越新奇，描寫起來便容易捉着一個深刻的印象，更容易興起高超的意境。……所以只就日觀峯看浴日一首，我們或者還看不出草兒在前集寫景詩的超邁。試看描寫天安門前人人經驗的景象的晚晴。……越是平常的景致，越要寫得不平常，才能令讀者看得上眼。即如天安門前的景象，是北京市民司空見慣的了，也是作者常常經驗到的了，所以難寫得好。而晚晴這首卻是恰到好處——以紅色作了通篇的骨子，由紅日聯想到紅臉紅手紅帽子紅影子紅牆紅樓，直令讀者感覺到一片紅光耀眼！如看一幅敷滿紅色的水彩畫一般！在一片紅光裏反襯着藍玉黃瓦綠瓦金烟，就更合乎畫家所講求的色彩的節奏了。寫景能如此，不愧設色的妙手了！」

又評：「………送客黃浦一首，可推絕唱。意境既超，文情並茂………。」

又評：「草兒在前集隱寓着人道主義的意味。」

又評：「草兒在前集作者游到廬山所發的感想，如設學校，安發電機，開礦，培植森林等等，都是些教育家實業家政府官吏的事………。想來作者是受了科學洗禮，處處講求實用，處處講求經濟，以致於對着明山媚水重嵐疊翠，不去儘量享受自然的美，而抱着功利主義，想去征服自然！」

（見濟華文學社叢書）

胡適評：「白情在他的詩裏曾有兩處宣告他的創作的精

神。他說：

凡經我做過的都是對的。

他又說：

我要做就是對的；

凡經我做過的都是對的。

隨做我的對的；

隨丟我的對的。

我們讀他的詩，也應該用這種眼光。「隨做我的對的」是自由；「隨丟我的對的」是進步。」

又評：「白情的草兒在前集在中國文學史上的最大貢獻，在於他的紀遊詩。中國舊詩最不適宜做紀遊詩，故紀遊詩好的極少。白情這部詩集裏，紀遊詩差不多估去十分之七八的篇幅。這是用新詩體來紀遊的第一次大試驗，這個試驗可算是大成功了。』

又評：『估草兒在前集八十四頁的廬山紀游三十七首，自然是中國詩史上一件很偉大的作物了。這三十七首詩須是一氣讀下去，讀完了再分開來看，方才可以看出他們的層次條理。這裏面有行程的紀述，有景色的描寫，有長篇的談話；但全篇只是一大篇廬山紀游。自十六至二十三，紀五老峯的探險，寫的最有精采，使我們不曾到過廬山的人，心裏怦怦的想去做那種有趣味的事。』（見讀書雜志）

最後，作詩原屬游藝。偶然著詩自娛，偶然出版，偶然修正，偶然輟筆，都不過隨興所之，無關宏旨。此後批評，凡在文藝鑑賞範圍以內，無論是否，一律歡迎。但詩宣性情，觸物感興，就是著者自己也未必能盡究指歸。見仁見智，全看讀者。拘拘作答，似乎不必。這是要請讀者見諒的。

一九二三年七月十五日，

康白情序於舊金山僑次。

草兒在前集卷一

草兒在前

草兒在前，
鞭兒在後。
那喘吁吁的耕牛
正擔着犁鳶，
眙着白眼，
帶水拖泥，
在那裏『一東二冬』的走着。

『呼——呼……』

『牛呲，你不要歎氣，

快犂快犂，

我把草兒給你。』

『呼——呼……』

『牛呲，快犂快犂。

你還要歎氣，

我把鞭兒抽你。』

牛呵！

人呵！

草兒在前，
鞭兒在後。

（一九一九年二月一日，北京）

植樹節雜詩五首

一

今年尋不出去年我植的樹了。
明年一定又尋不出今年我植的樹了。
反正我植的樹總在這疋荒山裏。

二

我袋裏一個錢也沒有了，
石蓀卻邀我去逛頤和園。
我問得他有錢，
我便去。

三

頤和園太大。
我們要先逛沒有意思的地方，
然後好地方不由得我們不去。
我們竟憨癡癡的繞着湖先走了二十多里。

四

這麼清的湖水，
正好在玉蝀橋下洗澡呵！

五

風彈着一湖鮫綃紋翡翠的明波
松柏叢裏襯出黃琉璃瓦的房子，
樓臺亭閣把一座富麗的萬壽山都穿戴得滿了。

（四月五日，北京）

桑園道中

七月九日，經津浦鐵路往上海。午後熱氣薰騰，車上實在難受。所幸到了滄州，滿天的陰雲密布起來，一陣陣的飄風冷吹起來，跟着大點大點的偏東雨亂打起來。一時秋氣瀰空，脾胃為之開沁。約莫到了桑園的地方，雨就住了；太陽也快落坡了。那種晶瑩清爽的風光，簡直撲人眉宇。這眞是可愛，十分的可愛呵！甚麼塵垢都被雨洗空了。

甚麼厭煩都被涼滌淨了。
只剩下靈幻的人，
四圍着一塊靈幻的天。
山哪，嵐哪，
雲哪，霞哪，
半山上的烟哪，
裝成了美麗簇新的錦繡一片
遍地的濃濕，
反映出燦爛的金色，
越顯得他無窮的化力。
溝水不住活活的流着；
淡烟不住在柳條兒邊浮繞；

草兒在前集

暮鴉不住斜着肩兒亂飛；
人卻隨着他們——心似流水般的浪轉。
好一個動的世界！
一個活鮮鮮的世界！
天呵！　你是有意厚我們麼？
是無意厚我們邪？
哦，——遠了。
快不見了，
這樣的自然！
這樣的人生！——
但他倆各走各的道兒，
卻一些兒也不留戀。

卷一 8

石頭和竹子

瑩淨的石頭，
修雅的竹子，
他們在一塊兒：
一般的可愛，分不出甚麼高下。
但有時竹子的秀拔，還勝過石頭的奇峭。

哦，看呵！
拜喲！　拜喲！
竹子都拜到風的脚下了！
不拜的是石頭。

他頭上的細草搖搖吹動，
越顯出他軒昂的氣度。

接着一陣的雨。
歡喜冷浴的是石頭；
竹子倒可憐得不像樣了。

翻了晴了。
太陽出來了。
他們彷彿又相視而笑了。

（七月，上海）

送客黃浦

一

送客黃浦，
我們都攀着纜——風吹着我們的衣裳——
站在沒遮攔的船樓邊上。
黑沈沈的夜色
迷離了山光水暈，就星火也難辨白。
誰放浮鐙？——髣髴是一葉輕舟？
却怎麼不聞橈響？
今夜的黃浦；
明日的九江。

船呵，我知道你不問前途，
儘直奔那逆流的方向！
這中間充滿了別意，
但我們只是初次相見。

二

送客黃浦，
我們都攀着纜——風吹着我們的衣裳——
站在沒遮攔的船樓邊上。
看看涼月麗空，
才顯出淡妝的世界。
我想世界上只有光，
只有花，

只有愛！
我們都談着——
談到日本二十年來的戲劇，
也談到『日本的光，的花，的愛』的須磨子。
我們都相互的看着，
只是壽昌有所思，
他不曾看着我，
也不曾看着別的那一個。
這中間充滿了別意，
但我們只是初次相見。

三

送客黃浦，

我們都攀着纜——風吹着我們的衣裳——

站在沒遮欄的船樓邊上。

四圍的人籟都寂了，

只有她纏綿的孤月

儘照着那碧澄澄的風波

碰着船耽里𦑊𦑊的響。

我知道人的素心，

水的素心，

月的素心——一樣。

我願水送客行，

月伴我們歸去！

這中間充滿了別意，
但我們只是初次相見。

（七月十八日，上海）

女工之歌

一

我沒穿的，
　工貲可以買穿。
我沒吃的，
　工貲可以買飯。
我沒住的，
　工貲便是房錢。
我再沒氣力，
　他們也給我二角一天。
　　他們惠我，惠我！

二

我有兒女，
　他們替我教育。
我有疾病，
　他們給我醫藥。
我有家務，
　他們只要我十點鐘的工作。
我有孕娠，
　他們白給我幾塊錢讓我休息。
　他們惠我，惠我！

（八月三日、上海）

慰孟壽椿（以信爲序）

……你在北京檢察廳監裏受『優待』，我卻在上海逍遙！假使你和我一路走了，那有這番波折？假使我也不走，必和你共嘗獄中的况味，豈不痛快？無如兩條路都不走！恰才我寫了一篇東西，伏在案上冥想，又想起你了，不覺一陣心酸，淚只在眼眶裏旋轉。不過回頭一想，倒不覺又失笑了。我立刻草出這幾句寄給你。不過究竟能不能寄得到？……

那一朵好花不受風折？
那一年的好莊稼不經大雪？
那一個好人不遇些盤根錯節？
我們不入獄，誰入獄？
壽椿，我揩乾眼淚笑了，
你也笑罷！
這正是你！
這正是你的人生價值！

（八月二十五日，上海）

暮登泰山西望

一

白日隱約，暮雲把他遮了：
一半給我們看；
一半留着我們想。
日的情麼？
雲的情邪？

＊　＊

誰遮這落日？
莫是崑崙山的雲麼？
破喲！破喲！

莫斯科的曉破了，
莫要遮了我要看的莫斯科喲！

二

那不是黃河？
那一條白帶似的不是黃河？
你從崑崙山的溝裏來麼？
崑崙山裏的紅葉
想已飽帶着一身秋了。

三

斑爛的石色，
豬綠的草色，
和這紅的，黃的，紫的，藍的，白的，鬆鋪

在一地的山花相襯——人壓在半天裏。
這麼一塊紫細花的破袖！
花草都含愁，
爲着落日，也爲着秋。
我說：「不用愁呵！
天地不老，我們都正在着花呵！」

（九月二十五日）

日觀峰看浴日

東望東海，
鯉魚斑的黑雲裏
橫拖着要白不白的青光一帶。
中懸着一顆明珠兒，
憑空盪漾，
曲折橫斜的來往。
還不要是青島麼？
海上的魚麼？
火車上的燈？汽船上的燈？還是誰放的孔明燈麼？

升了，升了，
明珠兒也不見了。
山下卻現出了村燈——一點——二點——三點。
夜還只到一半麼？
這分明是冷清清的晨風，
分明是氣呼呼的吹着，
分明是帶來的幾句雞聲，
日怎麼還不浮出來喲！
要白不白的青光成了藕色了
成了茄色了。

紅了——赤了——胭脂了。
鯉魚斑的黑雲
都染成了一片片的紫金甲了。
星星都不知道那裏去了；
卻展開了大大的一張碧玉。
遠遠的淡淡的幾顆平峯
料必是那海陸的交界。
記得村鐙明處，
倒不是得幾點村鐙，是幾條小河的曲處。
溼津津的小河，
隨意坦着的小河，
蜿蜒的白光——紅光

髣髴是剛過了幾根蝸牛經過。
山呀，石呀，松呀，
只迷迷濛濛的抹着這莽蒼的密處。
哦，——一個峯邊的雨滴流晶，紅得要燃起來了！
他們都火攢攢的只管洶湧。
他們都髣髴等着甚麼似的只粘着不動。
他們待了一會兒沒有甚麼也就隱過去了。
他們再等也怕不再來了。
哦，來了！
這邊浮起來了！

一線——半邊——大半邊。
一個凸凹不定的赤晶盤兒只在一塊青白青白
的空中亂閃。
四圍髣髴有些甚麼在波動。
扁呀，圓呀，動盪呀，……
總沒有片刻的停住；
總活潑潑的應着一個活潑潑的人生；
總把他那些收不住的奇光
瑣瑣碎碎的散在這些山的，石的，松的上
面。

（九月二十六日）

再見

越老越紅的紅葉
紅得不能再紅了，
便豈里可囉的落下來了——落了遍地。

越老越紅的紅葉
很高興捲着西風，
便豈里可囉的落下來了——落了遍地。

越老越紅的紅葉
不高興捲着西風，

戀了戀枝，
髣髴也沒有甚麼戀枝，
也豈里可囉的落下來了——落了遍地。

紅葉沒有甚麼；
天卻對着他板起臉子。
紅葉沒有甚麼；
人卻望着他抽着腸子。
紅葉沒奈何，
才抗着嗓子歌起來了。
歌道，——

「我是紅葉。
和我一道兒的是我的天。
天讓我青我就青；
天讓我黃我就黃；
天讓我紅我就紅；
天讓我不要戀枝我就放下我的責任。
但我們還要再見。
我們再見——再見！」

歌聲還沒有終，
歌響還沒有絕，
那還在枝上的紅葉

又豈里可囉的落下來了。

（十一月六日，北京）

疑問

一

燕子，
回來了？
你還是去年的那一個麼？

二

花瓣兒在潭裏；
人在鏡裏；
他在我的心裏。
只愁我在不在他的心裏？

三

滴滴琴泉，
聽聽他滴的是甚麼調子？

四

這麼黃的菜花！
這麼快活的蝴蝶！
卻爲甚麼人總這麼——說不出？

五

綠釉釉的菲畦中，
鋤着幾個藍褂兒的莊稼漢。
知道他們是否也有了這些個疑問？

（十一月，北京）

草兒在前集卷二

雪夜過泰安

凝碧的天裏，
沒有纖毫的雲，
卻最薄最薄的蒙上一層白綠的霧。
越到天邊越綠；
越綠越亮；
越亮越糊塗，越看不清楚。
這麽分明個上弦的月呵！
直把星星都稀得才剩幾點了。

更襯出塊灰樸灰樸的地。
——雪許是剛才下過的。

哦哦！那黑聳聳的一種不是傲徠山麼？
泰山卻在那裏去了？
越到天邊越綠；
越綠越亮；
越亮越糊塗，越看不清楚。
好疏落的柳條兒呵！
好冷豔的溪溝兒呵！
蒼蒼的山色——
蒼蒼的山色剛要給月托出來，

又給雪抹去了。
可憐！
——只有我不眠的人能消受這樣的風光。
但他車軌邊一個掃雪的人，
和我一樣的不眠，
卻不知道他能不能有我一樣的消受？

（十二月三日，津浦鐵路車上）

朝氣

窗紙白了。
老頭兒起來了；
小孩子也起來了；
娘們兒也起來了。
好雲霞喲！
好露水喲！

肩的肩鋤頭；
揹的揹背簍；
提的提簍簍——

一夥兒上坡去。
石塊兒也搬開了，
亂草也斬盡了，
所有荒蕪的都開轉來了。
挖上些窩窩，
種下些麥子。
把把的麥花；
蓬蓬的麥子。
看的也有了；
吃的也有了。

（一九二〇年二月廿四日，津浦鐵路車上）

江南

一

只是雪不大了，
顏色還染得鮮豔。
赭白的山，
油碧的水，
佛頭青的胡豆土。
橋兒擔着；
驢兒趕着；
藍襖兒穿着；
板橋兒給他們過着。

二

赤的是楓葉，
黃的是茨葉，
白成一片的是落葉。
坡下一個綠衣綠帽的郵差
撐着把綠傘——走着。
坡上踞着個老婆子，
圍着塊藍圍腰，
呟呟的吹得柴響。

三

柳椿上拴着兩條大水牛●
茅屋都鋪得不現草色了。

一個很輕巧的老姑娘
端着個撮箕，
蒙着張花帕子。
背後十來隻小鷄
都張着些紅嘴，
跟着她，叫着。
顏色還染得鮮豔，
只是雪不大了。

（二月四日、津浦鐵路車上）

送許德珩楊樹浦

「打呀！
罷呀！」
呼聲還在耳裏。
但事還沒做完
你又要去了。
但世界上那裏不應該打？
那裏不應該罷？
又何必一處？
暴徒是破壞的娘；
進化是破壞的兒。

要得生兒，
除非自己做娘去！
奮鬥喲！——
努力，加工，永久！

「有征服，
無妥協，」
咱們不常說麼？
犧牲的精神；
創造的生命。
哦！ 你不要跟着；
你但領着；

他們終歸會順着！
奮鬥喲！
努力，加工，永久！

送你一回；
送你一回；
又送你一回。
前門外細膩的月色，
水榭裏明媚的波光，
怎敵得楊樹浦這麼悲壯的風雨！
笛呀，輪呀，喧聲呀，
都彀髣在烟幛裏雄着嗓音喝道，

「好呀！　別呀！」
楚僧，
前途，珍重！
「楚僧！
楚僧！　楚僧！
斯——峰！」

（二月十五日，上海）

阿令配克戲院的悲劇

昨晚上看演自由花，
大家都歡樂着去的，
但一走進劇場裏便笑不出來了，
髣髴那裏充滿了神秘的冷酷。
看着他帶四千年遺傳文明窈窕的歌女，
聽他們凄清幽怨的歌聲，
只覺得他們的眼裏喉裏藏得有無數微芒的刺。
又看着一羣踏歌的小孩子，
充滿了和平的氣色，

來往往促促迫迫的高唱獨立歌，
只聽到幾聲
萬歲！　萬歲！　萬歲！
我們的熱淚便一逕衝撞出來了。
這是一幕慶賀韓國獨立的喜劇。
今天有習習的微風，
風裏夾着絲絲的濕氣，
天色黃黃的，暗暗的，
太陽靦靦覥覥的深藏在密雲裏。
今天是韓國獨立宣言紀念日。

今天阿令配克戲院到了三四百士女。
（在初工部局不許開會的，後來經了多少波
折才許了！）
好悲壯呵！
乾坤坎離環拱玄黃相互的太極圖的國旗飄動
了全場的空氣。
韓國臨時政府先給了一篇嚴肅的宣言，
大家便看着升旗，致禮。
昨晚上那些倪帶四千年遺傳文明窈窕的歌女
再唱起他們淒清幽怨的歌聲出來了，
間着韓國淸俊的國歌，
只令得滿座都欷欷歔歔的掩泣。

好悲壯呵！
賓主盡作沈痛的演說，
大家都掩泣得不能仰視。
間着琵安儺沈鬱哀婉的歌聲，
我們的淚巾已濕透了。
忽然幾位韓國青年拍案頓足的高嚷了幾聲
全場的空氣更頓時凄緊，
只聽得嗚嗚嗡嗡的惟有痛哭了。
好悲壯呵！

上帝呵！
還是你的人生麼？

是你的藝術邪？
令我想起安南；
想起印度；
想起阿非利加；
想起已往六七百年的波蘭；
想起世界上所有供芻狗的民族以至於有色人
種。
哦！　你莫忘記——
你莫忘記今天
一九二零年三月一日上海阿令配克戲院的悲
劇！

卅日踏青會

『春又來了！駘宕的晴光和塵囂氣相亂，悶得人要死！不有郊游，怎麼能舒抑鬱？

『聽說這幾天松社裏白梅和紅梅競開，畫眉兒唧唧的清唱，光景十分愛人。我們特約同好，於三月三十日上午九時，在那裏開卅日踏青會，共賞自然的音樂和圖畫。我們可以屈你同樂麼？

『看喲！霞飛路兩旁短牆裏的玉蘭花，正張眼等着你呢！』（一）

這個小啓是一九二零年三月二十八日在上海傳布的。我們知道上海是怎麽樣一個鬧市！許多久客這裏有心的青年，或給經濟趕來的，或給家庭趕來的，或給政府趕來的，或在這裏作工，或在這裏讀書，他們感受春光，更該怎麽樣煩惱！既得這麽一個消息，於是大家都歡歡喜喜的去了。就有沒接着帖子的，也趁着那個時候去了。

那天稍微有點陰雨。因爲高興，被邀的差不多都到了——男男女女都到了。（男的四十六人，女的二十五人。）他們沒有一個不歡喜的。但他們眉宇間仍蓄着東方式的嚴肅。

這是熟梅天氣，陰雨稍過倒晴起來了。松社裏有花，有草，有亭，有池，有鳥，有魚，有樹，有石，充滿了活潑的天機。忽然穿插上這麼多活潑的少年，滿園裏的東西更覺得有喜色。大家怕還有不相識的，各人佩上一張絹條兒，標出自己的名字。東風習習的吹着，絹條兒招展，花邊，草邊，亭邊，池邊，鳥邊，魚邊，樹邊，石邊，都有人歡歡喜喜的攀談。

鈴響了。會開了。大家都在草場上圍成一個圈兒坐起來。盃花佈滿了人的前後；盃盤又零零亂亂的散靠着盃花。東風習習的吹着，話裏每每雜來些香氣。

跟着我從圈兒外，走進圈兒裏，向着圈兒說

「我們今天來是踏青，我們在小啓裏已經說盡了。

「我們在自然界裏好像一種能動的機械機械久用必要搽油；不然他就會停滯。

了。　我們所過的機械生活也夠了。　我們覺得我們自己也太塵垢了。　踏青就是要爲我們的機械探探油，就是要洗洗我們的塵垢。

「踏青是古人的濫調。　古人踏青要做詩；我們卻只說話，卻只作玩。　古人踏青要飲酒；我們卻只喝茶，卻只吃點心。　我們沒有古人那麼多閒工夫；我們不能再用心；我們不忍儘管我們自己作樂；我們不敢蹈襲古人的濫調！」

「我們算很樂了。　牆外還有許多焦頭爛額的兄弟姊妹們呢！

「我們刻刻不敢偷安，刻刻不敢忘疾苦。我們想藉這點工夫，商量三個問題：我們的人生應該怎麽樣？我們的社會會要怎麽樣？處在這個社會裏，我們的途徑應該怎麽樣？

「我們聚散無常。卅日踏青會也是我們的因緣。隨便談話，隨便作玩，願大家各盡所能！隨便喝茶，隨便吃點心，願大家各得所需！」

跟着每人五分鐘的演說。起來說話的男男女女共有六七八。有沈毅的，有奮發的，有慷慨激昂的。 大家都聽在耳裏，印在心裏。臨別餘興，有說笑話的；有做畫馬之戲的；有唱歌的；有唱戲曲的。 笑聲和掌聲充滿了草場。 會裏還有就要出國的；左舜生更拉着我的手謳了一章送客黃浦。

(一)卅日踏青會最初是朋友彭璜李思安蕭子暲周敦祥魏璧幾位發起的，我不過躬逢其盛能了。 那天到會的爲敵秋魏嗣鑾王光祈陳寶鍔薛撼岳高鳳岐黃正品周敦祥勞啓榮王德熙王耀羣吳若膺周植生張傳琦宗白華曾翼畢張文亮陳情王國纛唐友龍張良權賀芳黎澤芬李一

龍梅成章伍絳霄沈濱掌劉英士鳳勞人謝升庸
左舜生曹揚飛李思安劉靜君張國基狄侃胡意
誠方維夏張國燾張世玄魏璧郭維海張夢九張
鳳貞王獨清李宗鄴易禮容沈澤民陳純粹孫鏡
亞張聞天毛飛翟蘊玉揚景昭張口口吳達模陳
兆蘅黃湘胡上珉凌孟玉蕭子暲蔡瑞容張淑媙
陳淡如彭璜李亞先雷懿德雷宏毅譚慕愚唐鈞
和共七十一人。

和平的春裏

遍江北的野色都綠了。
柳也綠了。
麥子也綠了。
細草也綠了。
水也綠了。
鴨尾巴也綠了。
茅屋蓋上也綠了。
窮人的餓眼兒也綠了。
和平的春裏遠燃着幾團野火。

（四月四日，津浦鐵路車上）

婦人

婦人騎一匹黑驢兒，
男子拿一根柳條兒，
遠傍着一個破窰邊的路上走。
小麥都種完了，
驢兒也犂苦了，
大家往外婆家裏去玩玩罷。
驢兒在前，
男子在後。
驢背上還橫着些篾片兒，

這片兒上又腴着些繩子。
他們倆的面上都皺着些笑紋。
春風吹了些細語到他們的耳裏來，
又從他們的口裏吹了去了。

前面一條小溪，
驢兒不過去了。
他們都望着笑了一笑。
好，驢兒不騎了；
柳條兒不要了；
男子的鞋兒脫了；
婦人在男子的背上了；

驢兒在婦人的手裏了。
男子在前，
驢兒在後。

（四月五日　津浦鐵路車上）

從連山關到祁家堡

一

這裏的山花比銀還要白些。
這裏的山色比黛還要濃些。
又有些開紅花的小樹，從山脚一直匍匐到山頂。
豬呀，羊呀，課馬呀，也沒有人照料
只在草地上漫漫的遊着。
白楊也曬得懶了，
開土的也挖得倦了。
他們都選花陰下伏着喝茶

兩個姑娘卻在旁邊的石上坐着。

二

也有些着葉的樹子，
花卻總是白的。
遠近都掩映着些灰白的茅屋，
都零零落落的矮小得好看。
路旁幾家紅磚的新屋，
高高地撐着些彩畫過的魚幌子。
溝裏拉着兩個襤褸的小孩子，
一個望着路上幾個日本兵的佩刀，
一個望着屋簷下一個晾衣的日本婦人的一雙
雪白的肥手。

三

燕子在土上飛來飛去的。
炊烟從山腰裏冒出來，浮來浮去的。
男子跟着，婦人領着，一個人駕兩條牛，一個人駕兩匹馬，就在那些土裏犂來犂去的。
土邊一所四合頭的瓦房子，
外面三十來個藍衣紅領的小學生，都在那裏
「一二三四」，「一二三四」的操着。
牆下的草花眞綠得自在，
卻不知道佩刀的要强做他們的主人了！

（五月一日　南滿鐵路車上）

鴨綠江以東

鴨綠江以東不是殷家的舊土了！
但滔滔的江水還儘管綠着。
江之東是尙白的，
卻也有些種藥的在這裏穿着藍褂兒。
江之西是尙藍的，
卻也有些挑菜的在那裏飄着白帶兒。
甚麼東西江水，可以劃斷人間的愛麼？
鴨綠江以東不是殷家的舊土了。
但我也不願她還是他舊土，

讓她就是她自己的舊土好了！
好秀麗喲，這些層層叠叠曲曲折折的巒嶂！
還有平平的溪水，就迴繞他們懶懶的流着。
遍山野都是小松；
遍田坎都是青菜；
遍家屋都放着雞豚，
——裝點成了太平的景象。
天之所以助她麽？
還是所以誤她邪？

回望故鄉——
蔚藍的天空遠映着，

甚麽高山大河，都迷在飛絮似的白雲裏了。
路遠了，
路遠了，
也聽不出靑秧田上的杜鵑聲，
只有這滿山紅着的杜鵑花還擬得出幾分鄉味
兒。
呀！我最愛你杜鵑花，
愛你的紅，
愛你的紅好像是血染成的！
呀哈！『濺我黃兒千斗血，
染紅世界自由花！』
——朱家郭解的俠風那裏去了？

但我相信這個還終歸在我們的骨子裏的。
但滔滔的江水還儘管綠着。
哦，好兄弟，好姊妹，
你們去照照你們的面孔！

看喲！
去年的稻椿還在田裏。
頂着甕兒的婦人正去井邊汲水。
土裏躬着的莊稼漢兒正把鋤頭兒薅草。
唉！ 我可愛的老百姓們，這幾年的收成好
麼？
上了田租 剩下的怎麼樣了？

你們所希望的子女們讀書得怎麼樣了——我
可愛的老百姓們？

噫！　那裏的杜鵑聲？
『還我蜀來！　還我蜀來！』
望帝之魂怎麼也飛到這裏來了？
『還我蜀來！　還我蜀來！』……
哦，好兄弟，好姊妹，
鴨綠江以東不是殷家的舊土了，
但我也不願她還是他的舊土。
起喲！　起喲！……

（五月一日　南滿鐵路車上）

紫躑躅花之側

一對赤着脚的小兒女，
（至多不過十六七罷，）
搬了滿車的稻梗，
慢慢的走過紫躑躅花之側。
婦人推着；
男子挽着；
曼聲歌着；
噦嘎噦嘎的車聲，
淺不克淩，淺不克淩的鳥謳聲，
自然成韻的和着。

藍花的白帕子漾着滿田坎的紫躑躅花。
紫躑躅花有甚麼香，
他們並不覺得。
紫躑躅花有甚麼色，
他們並不覺得。

（五月，東京訪新村作）

日光紀游十一首

一

天氣看來倒是很晴的。
北京大學遊日學生團的事算完了。
我們也給東京的都市氣悶苦了。
於是有壽椿、有日葵，有假新，有彥之，有
白情，熟路的老朋友有善徵，
我們一道兒去逛日光去。
我們一火車直坐到日光驛。

二

走路要輕裝，

只好吃一個『親子丼』。（一）

三

第一步過神橋。

這裏是一條半長不長的寬拱橋

有紅的欄杆，

有綠霞霞的水，

有驚心的浪，

有神秘的光景。

四

我們會走馬觀花；

我們也善觀大略；

我們又髣髴好讀書不求甚解。

不測的雨來了。
我們一溜烟便穿遍了東照宮；
一溜烟又走過了二荒山神社；
一溜烟又看完了寶物館。

※　※

東京的櫻花都謝完了。
東照宮還給我們留下了幾樹。
覺得這裏的天氣變了。

※　※

一望的長松；
一望的闌牆；
一望的金鏤；

一望的朱漆殿宇。
士女們都在拜殿裏羅拜。
他們儘管向神龕底下抛錢。
兩廊陳列着些古東西，
幾個漂亮的和尚卻在側邊朝衣朝冠的跪着。
聽說這些都是日本皇家的。
聽說這些殿宇都已有好幾百年了。

※　※

寶物呵！
國粹呵！
刀劍呵！
宗教的儀式呵！

原始時代留下來的東西呵！
——但幾個守東西買畫片的女子卻是很時髦的。

五

好雨！好雨！
北白河宮邸哪，
田母澤橋哪，
大久保哪，
清瀧村哪……
我們都來不及看了。
我們再一電車坐到馬返。

六

馬返以上沒有電車了，
我們只得走去。
好雨！好雨！
草鞋套在靴子上；
油紙揹在背上；
顆顆的雨直淋在草帽上。
哈⋯哈⋯哈⋯哈⋯
好雨！好雨！

＊　＊

哈⋯哈⋯哈⋯哈⋯
哈⋯哈⋯哈⋯哈⋯
一路赤脚的女子笑起過來了。

油紙揹在背上；
『下馱』，(一)提在左手上；
洋傘撐在右手上；
顆顆的雨直淋在綉花紅裙上。
哈……哈……哈……哈，
哈……哈……哈……哈……
好雨！好雨！

※　　※

過幸橋，
過深澤橋，
我們直溯大谷川的源頭沿上去。
我們不溜在河裏也就是本　了！

哈……哈……哈·哈……
好雨！好雨！

七

好容易上到劍峯，
我們可要歇憩了。
我們便坐在一個茶屋裏吃「菓子」，(三)
細聽般若瀧方等瀧的狂嘯。

※　※

鄉下的女子要紅些。
日光驛的女子便紅得多了。
這裏的瀧子更紅得可憐。
她不過只有十四歲。

她又賣畫片又給我們斟茶。
她最愛笑。
日葵最愛引她玩。
說，『好紅呢』！
她便笑把她的兩隻手蒙着她的臉兒。
又說她的手，
她又笑把她的兩隻手藏進她的袖兒。

八

天要晚了，
我們不能不快走。
我們便直從幾灣斜路的當中截上去。
我們遠念着日光最高峯，

近只看脚面前的兩三步。
我們上前便上前，
再也不知道有甚麼回顧。
後面是泥滑滑的高山，
周圍塞滿了白濛濛的雲霧，
回顧去可很不好看呵！

＊　＊

我們一口氣跑過大尻，
天恰晚了。

九

伊藤旅館還很周到的，
我們便住下了。

換衣；
洗澡；
說笑；
喝啤酒；
第一回吃『撒希美』。(四)

十

好冷呵！
第二早晨我們才覺得冷呢。
風帶了雪片吹在我們的臉上。

＊　＊

好一片綠霞霞的中禪寺湖呵！
冷風在太陽光裏颯颯的吹着。

南面陰山的積雪；
北面陽山的櫻花。
半邊白的；
半邊紅綠相間的。
盆供似的上野島遠峙在湖的東面。
好美的，好神奇的中禪寺湖呵！

*　　*

沿湖南到歌濱，
北到再一個二荒山神社，
我們討了些紅葉，
買了幾根櫻杖，
便沒有再往前去了。

十一

雪那樣的白；
雨那樣的濺；
銀河那樣的瀉；
霧那樣的飛騰；
雲烟那樣的縹緲；
海破天崩那樣的駭人；
大鐵鎚打在地上那樣的震動。
疑是中禪寺湖的神龍貪愛陽山上的櫻花吐出了白涎。
疑是威娜司(五)爲了天下有情人抛下一條長帶子。(六)

哦，這不是我六七年來夢繞的華嚴瀧麼？
今天到了！
上下了許多的石坎棧道才到了！
根本解決的少年哲學家藤村操還在這裏麼？
『悠悠天地，
遼遼古今——』
對了這個誠有些失望呢！
萬有之眞，眞就以『不可解』三個字爲注脚麼？
『不可解』的解決，眞就以這樣爲極致麼？
大谷川的水綠霞霞的，
怎麼竟不答我呵？

華嚴瀧呵！　華嚴瀧呵！
我不願看你了！
我且把我當做你一樣的直瀉到海裏去！

＊　＊

(一)雞肉和鷄蛋混蒸的鉢子飯，日本叫做『親子丼』。
(二)『下駄』是日本式的屐。
(三)糖餅之類，日本統叫做『菓子』。
(四)『撒希美』，譯音，是一種鮮魚打生吃的，爲日本最闊的菜品。
(五) Venus

（六）日本盛行死戀的風氣，來投華嚴瀧的甚多。

（七）藤村操，年十八，恨宇宙的疑問不解，投於華嚴瀧而死。臨死，在巖上白樹題道：『悠悠天地，遼遼古今，而以五尺之小而計此大也！婆來肖之哲學，竟何「阿瑣利諦」之足值？萬有之眞，一言而悉，曰，「不可解」而已。恨哉，悶哉，而卒以決於死！且既立乎巖上，而我之心晏然。而後乃今知悲之極之適一於樂之極也！』云云。

（五月二十九日，日本）

歸來大和魂（有序）

由神戶回上海，過長崎登陸，再上春日丸，且和日本小別了。既而相去越遠，憑欄迴眺，只見汪洋，追懷日本的美，不勝戀戀，而一念及她的醜，又不勝可惜之情。記得在東京帝國大學演說，曾說到大和魂和世界的文化，深惜大和魂之附非其體。於是本這個意思，賦長歌幾章以招之。

大和魂，我的心醉了

你所備的，大體都給我愛了。

算喲！
孤傲的山，
險絕的水，
炫縵的櫻花，
不是你的靈麼？
儉約的『下馱』，
干淨的蓆子，
勤快的竹掃把，
不是你的德麼？
悲壯的歌，

質樸的踊，
沈雄的劍，
有恥的「腹切」，
鹿兒島的戰卒，
贏得死戀的江戶子，
不都是你的血麼？
哦，大和魂，
我所愛的，大體都給你備了。
只可惜你自己沒有枕兒！
譬如染絲，

你好比白礬；
有了你顏色就亮了。
你卻不問他是甚麼顏色。——
染於蒼就蒼；
染於黃就黃。

譬如釀酒，
你好比麯子；
有了你就醱酵了。
你卻不問他拿去做甚麽。——
合巹也用他；
配毒藥也用他。

又譬如機器，
你好比力；
有了你就動了。
你卻不問他做的是甚麼。——
或者縫衣；
或者舂米；
或者榴散彈也是他造的。

哦，大和魂，
只可惜你自己沒有柁兒，
你把道兒走錯了！

你爲甚麼可貴？
不是爲人而可貴麼？
人固不用神性，
不用獸性。

要你愛同族，
教你愛國；
卻教你不要愛世界。
『四大德』甚麼東西呢？
我見你的神性；
見你的獸性；

卻何曾見你的人性！

我最愛的江戶兒，
——不曾尚名譽，尊仁義，扶弱而抑强，以
供人役使爲賤麼？
俠邪，江戶兒！
君子邪，江戶兒！
不也是太和魂的血麼？
如今，卻怎麼不見了？
不見江戶兒，
所以成其爲官僚軍閥壓平民，而資本家壓勞
働者的日本麼？

草兒之前第

所以成其爲愛國而不愛世界，徒見神性獸性
而不見人性的日本麽？
噫！
山孤傲而無脈；
水險絕而能留；
櫻花炫縵而不終……
也是大和魂的靈麽？
日本呵！
不見江戶兒，
我爲你哭了！
哦，大和魂，

卷二 64

你還在麽？
你把道兒走錯了！

歸來，大和魂！
歸來，大和魂！
守你的靈；
養你的德；
涵育你的血；
剗除你的蟊賊；
以你的血洗你的汚；
不要作世界的仇而作世界的友！

（六月七日，春日丸船上）

草兒在前集

叠二 66

草兒在前集卷三

晚晴

大風雹過去了。
世界全笑了。
天安門外陡呈滿天地莊嚴的顏色。
紅日從西北角上射過來，
偌大一塊藍玉都給他烤透了。
羣衆五萬人能容的地上斜返出花花路路的紅影子。
紅臉紅手的兵，帶着紅帽子，很嚴肅的在紅

影子上排立着。
四圍紅牆黃瓦，紅樓綠瓦，都端端正正的對着西北角上的紅日放光。
東長安街花牌坊上卻拖出兩道很長很長的彩虹，圍接着正陽門上的大城樓。
沿路合歡花的紅冠都給北京電鐙公司烟囪上的金烟鍍成赤金色了。
哦夥！　世界全笑了！
大風容過去了！
這些景樣樣都不錯。
上帝送我，

我應該怎麼樣做？（一）

（六月二十七日，北京）

（一）當我正在那裏走着，忽得一種感興，想道：『上帝送我，我應該怎麼樣做？』既而頓悟，又想到胡適教授的應該一首裏有這種相類的調子，於是依樣塡足一句『這些景樣樣都不錯。』這是偶然的。其實這種調子萬不可以成風氣。

別國立北京大學同學

一九二〇年六月下旬，國立北京大學同學餞別我們於來今雨軒，與會的到六十幾人，都是曾共過患難的。當時百感叢生，我在席上演說，竟至聲淚俱下。七月二日離北京回家，到車站上送我的又到二十幾人，也以國立北京大學同學爲多。同車的有兩位軍人，看着大爲感動，竟不恤以心腹告訴我一個生人。車上追念往日的壯劇，中夜不能睡覺，出車憑鐵欄北望，慷慨悲歌。而幾月一潸，更使我添無限的別意。於是追譯來今雨軒的席上演說，使成行子，以寫憂思。

諸位兄弟呵！
我們不是同學麼？
我們同學和尋常同學不同，
不是曾共過患難麼？
但是我們的成就怎麼樣？

往日離家，
家裏的人送我，
我心裏未嘗不難過；

但我只掉頭不顧就去了。
今天你們餞別我，
我卻不能只掉頭不顧就去了。
我喝着葡萄酒只當是血淚！

咱們想，
所貴乎做同學的應該怎麼樣？
不是說要互勸道德，互砥學問，互助事業麼？
道德上我們要造就偉大的人格，
自問偉大的人格造到了沒有？
學問上且不說太高深，

我們於自己所學的是否還有媿？
事業上我們還只是學生——
但從去年五四運動以來我們總是曾共過患難的，
如今我們的成就究竟怎麼樣？
我呢——
更該萬死！
我受同學的厚愛以當全國學友的重託，
而我誠還未足以感人，
學還未足以濟用，
致釀成今日的危局而前功幾於盡棄。
諸位兄弟呵！

或者我們於同學之道還有所未盡麼？

噫！……

但我們的來日長着呢！

我們也不要惋惜過去的，

我們但努力於來日。

我此去大約得待五年後才回國。

諸位兄弟呵！

請以這杯葡萄酒爲壽了！

五年後而我於道德上學問上事業上都沒有很
大的長進，我誓不回來見你們；

你們而於道德上學問上事業上都沒有很大的

長進，你們也不要見我！……

廬山紀游三十七首

一

外湖裏的水給夜雨後的涼風淌着。
堤上的草吹得只是拜。
兩件單衣都涼透了。
摩托車從新墻上直開到妙智鋪，
二十幾里的工夫就到了。
過眼的東西都飛也似的過去，
只覺得滿眼盡是莽蒼蒼的。
莽蒼蒼的之中蜿蜒着幾條紅路。
蓮花洞怕被雲迷了。

山邪？
雲邪？
那裏看得清楚呵？
卻又何必看得清楚呵？

二

無勇莫游山，
我心裏常常這麼想着。
十八里的山程遠麼？
你自己不作工，還要帶累幾個人跟着你不作工，還要拿錢買些痛給他們，
這個理出在那部經上？
你的脚帶來幹甚麼的！

你自己不走，也算你自己遊山麽？
這時我心裏更不斷的這麽問着。
一個提包一枝杖，
更脫下一件單衣，
飛也似的我就往山上走去了。

※　※

寺哪，菴哪，洞哪，
我也沒有心問他，
只韻着流泉的璁璁聲，
望白雲的深處上着。
飽我有涼透了的粥；
飲我有激流的泉；

潤我有霡霂的雨。
——我還有甚麼不足呢？

　　＊　　＊

究竟他們的担負要重些，
挑担子的也給我趕過了，
抬箱子的也給我趕過了。
我們的衣裳都濕透了。
看着就上到筋竹嶺了。

　　＊　　＊

山阿裏流泉打得欽里孔隆的響，
引得我要洗澡的心好動，
我就去洗澡。

石塘上三四家荷蘭式的茅店，風吹得涼悠悠的，
引得我要歇憩的心好動，
我就去歇憩。
隔座一個挑担子的，
蒲扇不住的扇着，
茶不住的喝着，
周身的汗不住的流着，
眼裏帶着種驚詫的神光，不住的把我打量着，
引得我要問他的心好動，
我就問他：

「朋友，好汗呵！
幾顆汗換個錢呢？」
他望着我笑了笑，
卻不曾想出甚麼話來答我。

三

筋竹嶺上的路更陡了。
山是層層疊疊的；
路卻螺旋似的迴繞着他們。
仰頭看不上百來級坎子；
埋頭也看不上百來級坎子。
滿地的潺泉；
滿山的酷日；

好在筋竹兒有風，還平平淡淡的吹着。

＊　＊

夾着路旁的都是筋竹兒，
野草在竹縫裏茸茸的塡着，
也雜得有朱黃的蘐花。
最可愛的是崖邊吊着的那一枝，
我便攀下他來簪在帽子上。
經過一根板橋的時候，
一個八九歲的小姑娘很勤快的在那裏洗她的手巾。
我問得她愛他，
便又把他從帽子上取下來給她了。

＊　＊

哦，雲來了。
四面的山都不見了。
前後的人都不見了。
天陡然陰霾了。
瀑布也不知道在那裏，
卻儘作他駭人的播聲。
忽然幾陣飄風，
雲從山頂上沈下來，
露出一點——二點的青峯，
紅紅綠綠的牯嶺已在前面。
山下白濛濛的，——

只怕又在下雨了。

四

山坳上零零碎碎，斷斷續續，上上下下的排着許多顏色鮮豔的房子——各種西洋式的房子。

黑壓壓的、橫成一杠的卻是中國式的街道。

除了就是綠蔭蔭的草木了。

除了就是綠蔭蔭的草木裏破開的幾條白的道路了。

賣蘋菓的，賣沙發的，

賣領帶的，賣牛津大學的書的，

九江和南昌還不容易找的，這裏倒有了。

拖下駄的，
對對往來的，
長裙短袖燙髮了頭髮的，
九江和南昌還不容易見的，這裏倒多着了。
徽調的歌聲，
三味線的歌聲，
蘇格蘭的歌聲，
春之花的歌聲，
讚美上帝的歌聲，
九江和南昌還不容易聽的，這裏倒處處都是了。
好一個歐化的牯嶺呵！

＊　＊

從北山上看轉來，
全嶺在望，
覺得她嬌滴滴越顯紅白，
我所住的大觀樓也格外襯托得好看。
迴望九江，
正好給暮色籠住了。
基督教青年會裏消夏的學生，都男男女女，
三三五五的在草徑上遊着。
他們大半都穿着夾衫子，或套着黑的夾背心
●
哦，這不還是七月麼？

好一個藝術化的牯嶺呵！

五

昨夜通宵的潤雨，
涼得我這時候才起來，
窗外的炊烟已曬得成了紫金色了。
遠處怕不能去遊了。

＊　＊

花洲有兩葉，
和我同住在一塊兒。
我有甚麼呢，他們卻這樣的喜歡我？
我們一見就如故了。
我們要遊去就一道兒。

我們何不上南山去遊遊去？

※　※

六

上山！　上山！

一路的白泉；

一路的石橋；

一路的紅房子；

一路綠釉釉的松；

一路朱黃的蘐花；

一路的泡桐樹。

＊　＊

泉到了源頭了。

盥我；
飲我；
瑩潔的石頭愛我●
——揀他五綷回去送我心念着他的。

七

這麼一個寬坪呵！
再繞上去就是山嶺了。
我們從草徑中走去，
草在我們的脛上拂來拂去地。
露水卻早被朝陽烘去了。
皮鞋踩在淺泉上咕咕咕咕的響。
萬蒲的脚下長着赤芝。

還有沒謝完的杜鵑花還在那裏紅紅黃黃的開着。

還有蕈黃的花蝴蝶兒對對的點着燈籠草。

還有許多的花兒草兒蟲兒說不上名兒的。

還有亂草裏忽看出幾根紫玉簪花。

哦！　紫玉簪花？

我有好多年不見你了！

記得八九歲時，我的媽曾簪慣了這個的。

媽呵！　你還有髮可以簪這個麼？

我想摘他兩枝給你寄回來，

又怕他在路上萎了！

八

上到一個凹口了。
挑柴的說，這裏就是含鄱口。
問他鄱陽湖在那裏？
他手向西邊的空裏指着，
口向他的指頭兒上踏着：
「那裏不是麼？
只可惜全給雲遮了！」
燕騰的雲呵！
可惜我不能立時把劍揮開你！

＊　＊

但雲裏似乎還有一個洞望得下去的。
挑柴的朋友，你看那雲洞裏不是麼？

綠的，暗藍的，是原上的秧田。
白的，黃的，赭紅的，不就是湖麼？
但還是看得很模糊的，雲洞竟合起來了。

＊　＊

登罷！
登在峯上去罷！
雲又露出缺兒了。
有島；
有船；
有大船；
有蜿蜒的小河流入湖裏。
河口旁彫還有兩株大樹。

但還是看得很模糊的，雲缺兒又補起來了。

＊　＊

再登罷！
登在最高的峯上去罷！
雲又大散開了。
這麼大的鄱陽湖，卻花花路路的送了好些在
我們的眼裏。
剛看着的那隻大船才是一個小島呢。
右邊更有一垠長洲，彷彿馬鬣封似的，眞青
得不能再青了。
雲塊兒拂過的地方點點現黯白的顏色。
但總是看得很模糊的。

但再要不模糊些，或者倒要沒有意思了。
好，謝謝你蒸騰的雲！
我的劍也不好揮你了。
——你把一片鄱陽湖藝術的給我們看了！

九

三上南京，一登牯嶺的夢九，說是爲訪蔡蘇娟而去的。
介民也不久才來訪過她。
她竟給人家景慕到這樣麼？
我何妨也去——也去訪訪她？

※　　※

天已晚了。

好容易從流水聲裏，交叉路裏，樹林影裏，
上上下下的山谷裏，『錦特爾滿』和『奶得』
乃至鄉差的口裏才問得她！
一個『奶得』先開了門來接着我。
待了好久，她才跟着一盞明暗的洋燈走出來
：
慈祥的眼；
和藹的面；
長長的身材；
肥肥的手；
多血的顏色；
親切的丰度；

蘊藉的笑；
二十三四的年紀；
黑潤的髮；
青縠的衫和裙；
金線緣邊的袖；
齊整的精神；
有規矩的進退；
形而上的美。

＊　＊

早知道她是篤信耶穌教的
寒暄了幾句話，
我就問她起信的因緣。

她說：
「我從前也是不信敎的，
而且是不願人家信敎的。
後來在南京的一個敎會學校裏打一旦尼司，」
在一塊很干淨的板子下揭出一條蛇來，
我就大爲感動了。
我想，
有這樣的事麼？
這麼好看的外面，固也可以藏這麼不好的東
西在裏面麼？
一個人外面再做得好看些，而可以存一個壞
心，和這個有甚麼分別呢？

我又想，
沒有上帝來統率，
恐怕終給我任情走錯了。
於是不管我的姊妹幾個怎麼樣，我獨於信了
敎了。」

＊　＊

「我是信而不敎的，
——也可以說是信的信而不敎的敎。
我只念着對我要信，
對人要愛；
「草兒在前，
鞭兒在後。」

我正鼓起勇氣在「人的」路上走着呵！
但我要信甚麼，
我要十分明白他；
我要不顧人家信甚麼，
我也要十分明白他；
我不能站在人家的棧外，瞎說他棧裏的貨的好壞。
我信耶穌，
但我還不信要上帝呢。」
我儘這麼對她談着。

* *

聽我說我也曾讀過擺布爾的，

她就問我眼裏的耶穌怎麼樣？
我說：
『第一，我看耶穌是藝術的。
你看他的一篇演說，
把說道的比了播種的，
把聽道的比了受種的，
把得道的比了收成的，
這那裏是一篇演說？
只是一首詩罷了。
第二，我看他是實行的。
你看他那麼不惜草鞋的走，
不惜口沫的說，

不惜釘在十字架上的做，
就是孔丘墨翟又何嘗過得了他呢？
第三，我看他是人格的。
你看人家有病的捉捉他的衣衿就好了。
你看二百年的十字軍。
你看兩千年來這麽多的信他的。
你看今後，還不知道他的流風怎麽樣呢。
這是怎麽樣的感化力——人格的感化力！
我想藝術的和實行的是該要咱們兼擅的。
我想要有一個人格的眞和善和美。
只是愧呵！
我雖這麽說着，

這麽想着，
畢竟我的工夫還不到呵！』
她說：
『好呀！
要到這樣的工夫除非信教呀！
譬如燈。』
她便手指着電燈。
『這個燈是不會熄的；
因爲他是仗了一種虛靈不昧的力的，
這個力是沒有盡的。
點油的燈卻不然，
油有盡而他就熄了。

泰山你不曾去過麼？
我曾登在他的頂上，
俯看往來山下的浮雲，
便覺得我的心高潔好像山花，
一切榮利都看在浮雲裏去了。
因爲信敎是仗了一種虛靈不昧的力的，
這種力是沒有盡的。
好呀！
要到這樣的工夫除非信敎呀！」
「是的，
敎，
我一定要明白他，

我一定要社會學的明白他。」

我這麼回答着她，

風吹得窗櫺可可的動，

茶都冷得有些噤齒了。

＊　＊

後來我又問了她些廬山的事。

後來她又問了我些北京大學男女合校的事。

後來她又許我送我的書。

後來我又許她介紹她和我的朋友研究宗教學的江紹原通信。

後來我要走了，

她才打發一個提燈籠的送我回去了。

黑簇簇的夜；
冷颼颼的風；
斷續的蛩聲；
明滅的燈籠；
高聳聳的兩個人影。
我一路想着『素手掬青靄，羅衣曳紫烟』的
李騰空，
一路踹蹦的走着。
好容易從『錦特爾滿』和『奶得』乃至郵差
還在走的道裏，上上下下的山谷裏，樹林影裏
，交叉路裏，流水聲裏，再回到我的大觀樓！

※　※

只有這藝術化的牯嶺配住藝術化的她；
只有藝術化的她配住這藝術化的牯嶺。

十

十日晴：
借兩葉，
束輕裝，
請挑子，
裹麵包，
帶牛奶，
漫遊去。

十一

上山！上山！

一路的白泉；
一路的石橋；
一路的紅房子；
一路綠釉釉的松；
一路朱黃的藼花；
一路的泡桐樹。
這條路正是我們昨天走過的。

＊　＊

泉到了源頭了。
又上到我們昨天走過的寬坪了。
又看見我們昨天登過的高峯了。
聽說寬坪就是當年陳友諒的練兵處。

聽說高峯就是不知道多少年前的女兒城。
聽說那些髣髴有條理的大石頭就是古代的壁壘。
聽說這疋山不知道曾經過多少回的鬧熱呢！

＊　＊

好晴呵！
半點兒雲渣滓也沒有。
又走到我們昨天來過的含鄱口了。
眞箇鄱陽湖會梳粧！
昨天的雲髮蓬鬆；
今天的滿頭珠翠。
昨天的眉目含愁；

今天的毫髮可數。
昨天的離魂倩女；
今天的新嫁娘。
鄱陽湖眞個會梳粧，
三面都擺着這麼長這麼寬的大鏡子！

十二

尖山的草縫裏漸漸的吐雲了。
雲給我們作旋，
我們依着含鄱嶺的山路斜下去。

* *

這邊山，
泉的源頭又出來了。

他卻只在一片亂草根子裏慢響着。
泉給我們奏樂，
我們的腳給他作拍子。

十三

剪茅做的屋；
砌石做的壁；
釘板子做的門屏。
牆外有一架兩架，兩架三架的胭脂花和扁豆花。
牆下開着斗大十來窩黃葵。
衣服散晒在牆頭的竹竿上。
吠生客的有狗。

避生客的有帶着一羣小雛的䳾雞母。
說生客的有個十五六歲藍衫大銀耳環眉月間
俏蓄着山嶽清秀氣的好姑娘。
前後左右滿土的馬鈴薯開着紫花，隨風吹了
些香過來。
還是尖山凹口下的幾處山家。

※　※

他們的屋裏沒有主人。
我們便隨便端了條長板凳來坐着。
他們的男子髣髴是打樵的。
說生客的那位好姑娘卻走過山溝上去了。
石磴上蹬着個藍衫紅褲的少奶奶正在那琫璁

的淸流裏漂白線。

我儘這麼想着，

假使世界上沒有了强盜，

我們不該和他們一樣麼？

我又想着，

早晨餐黃花的嫩英而晚上飧他的嫩葉。

這是怎麼樣的淸快！

最後我又想着，

我們更大家這麼商量着，

不知道他們究竟還上不上田租？

十四

快晌午了，

走到五老峯的肘下了。
遠遠看出燬殘了的月宮院。
滿路一望的筋竹兒，
我們尋着路撥開竹枝走。
遠近竹林裏大小的鳥兒競唱他們的山歌。
忽聽一聲驚人的『而儘睡起』，
我記起八九歲時兄弟姊妹們相玩的事了！
阿爺常起得晚，
我們早起便聽着『而儘睡起』的鳥聲，
弟弟愛用口笛去學他。
我們總怕他擾了阿爺的清睡，
我們總勸他不要學。

阿爺呵！
如今隔了十四五年
我還能在幾千里外重聽『而儘睡起』的鳥聲，
我們相別七八年
你覺長睡不起了！

十五

一座荒凉的古廟，
燒剩下些石梁還在庭前穩穩的架着，
這就是月宮院。
有桃子，
有梨子，

有胡桃，
有瓜架，
有玉蜀黍，
有芭蕉，
有紅萵苣菜。
廟裏供的觀世音菩薩，
住持一個三十來歲當過兵來的和尚。
他說他曾轉戰幾千里；
他只不願說他當年的戰事。
他眼裏的殺氣已經消磨得盡了。
他把很粗很大的瓦壺各斟一椀本山土產的雲
霧茶給我們。

十六

走過五老峯下不上五老峯，
我們不如當初就不來好了！
我們不知道從那條路上去，
竟給挑子引得要到三疊泉了。
我說：
囘去！
折囘去！
折囘去登五老峯去！
我們便從舊路走囘來；
挑子卻讓他等在月宮院。

＊　＊

我們心想着五老峯，
腳跟着樵路走。
山溪裏的大魚也不久看了。
沿路經過的花草也不放在眼裏了。
我們猛然竟把前後的道兒走迷了。
哦！　我們走迷了！

＊　＊

我們不認得五老峯；
但我們相信他總在這疋大山裏。
我們登到這疋山的最高處總不能不找着他。
我們登罷！
——但選他的最高處登罷！

十七

荊棘哪，蔓草哪，
漫山遍野都是，
竟弄我們沒有地方插足。
我們更姑息不得他們。
我們便忍心把亂杖撥倒了他們。
但我們終究有些不忍。
——我們竟不上了罷！

*　*

哦，不行！
退回去也沒有歸路了！
但問第一個到五老峯是怎麽樣去的？

他不比我們還更要艱難麼？
我們但當作第一個到五老峯去的好了！
我們登罷！
——但還他的最高處登罷！

＊　＊

蓬蔴刺了我的脚，
我一顧恤他，
他們已走了好遠了。
竹枝又刺了我的手，
我再一顧恤他，
他們更走了好遠了。
唵！　這有甚麼値得顧恤的？

你顧恤他，
他就不阻你的前路麼？
你不顧恤他，
他就眞足以危及你的根本麼？
走喲！
進喲！
你所要的五老峯馬上就要到手了！

十八

好，杖也撥軟了；
靴子也踏𨂃了。
路更錯了；
人更餓了。

坐在一個磐石上且休息。

＊　＊

牛奶以醬麵包；
瀹泉以冲牛奶；
白玉簪花的梗以攪瀹泉。
舉晶瑩的盃以邀五老，
並問他們承露盤裏的東西究竟比這個何如

十九

逆泉流而上；
踩石磴而上；
攀葛藤而上；
左左右右選角度稍鈍之處而上。

手脚全創了；
衣服全髒了；
好容易爬到山上了。
花了兩三點鐘的工夫畢竟爬到山上了。

二十

山腰是紫玉簪花雜着白玉簪花。
山頂卻全是朱黃的蘐花。
遠近有幾根老而不長的小松樹，
山石這麼大一塊一塊的，亘着全山的脈絡㪚
枕䆉立着。
山外撑着萬丈懸崖直令我們不敢俯視他。
夾谷裏大小長短的說話聲突然和答着：

『哦，山靈呵！』
『哦，山靈呵！』
『哦，莽斯特兒！』
『哦，莽斯特兒！』
『哦　你可以和我做朋友麼？』
『哦，你可以和我做朋友麼？』
『哦，你要小心！
你的地位很高了，
恐防跌下去！』
『哦，你要小心！
你的地位很高了，
恐防跌下去！』

「…………」

※　　※

哦，雲來了。

他從石縫裏吹了出來了。

他從草根裏吹了出來了。

他把我們繞着了。

他襲進我們的單衣裏挨來絲絲的涼氣。

我嗅嗅他沒有味兒。

我輕輕的捧了兩掬餐在我的熱肚裏。

我又吐了出去摩盪他。

我想把他收做無盡藏的棉絮，散給世界上無衣的。

* *

哦，他又從夾谷裏騰了上來了。
近山都騰滿了。
我們相隔五六尺都不能相見了
哦，雲呵！　雲呵！
請你騰我上天，
我不願再回去！

二十一

哦，好駭人呵！
我們登到五老峯的極頂了！
陰風忽忽的飄着。
滿耳隔山瀑布聲不住雷也似的吼着。

從崖邊跌下去一定會落到好幾十里！

崖間開着一大樹朱紅的顆粒花，說不上甚麼名兒。

崖下挲大的幾所大院子，周圍都繞着竹子。

菜園裏一個針鼻大的白褂藍袴的做莊稼的在那裏摘青菜。

遠近幾條白亮亮的山溪蜿蜒着流入雲裏。

昨天所見右邊一根長洲，髣髴馬鬣封似的，眞青得不能再青了的，不要就是南康麼？

但他的背上又塗着幾點南昌道上的豬血泥。

鄱陽湖的一隻角卻隱約現在長洲外。

可惜四圍的遠處都給雲迷了。

* *

哦，雲開了。

山下為里的大太陽。

鄱陽湖七百里的全景盡在我們的眼底。

湖裏黃白黃白的水——往來的帆船都數得

清。

平原上亂着起伏的丘陵。

遠望無極的揚子江直像風𦐃𦐃的拖着一條

長銀帶。

西望見武漢。

東望見九江。

城郭如豆的是南康一帶的州縣。

北望黃雲瀰漫的克勞鼐是蒙古的沙漠。
湖上有兩團傘蓋似的厚黑雲，
大概沿湖的州縣要下驟雨了。
哦，只請我們自己不要早死了！
——我們還能重來麽？

＊　＊

哦，雲又來了。
他一抹便把所有的東西都封了。
要下雨了。
我們趕快回去罷。——
我的日葵！
我的壽椿！

可惜你們不來呵！

二十二

好雨好雨！
渾身的衣服都溼透了。
靴子踩在濕草上咭咕咭咕的。
遠近的山鳥都笑我們說：
『泥滑滑！
泥滑滑！
行不得也哥哥！』
但我們已經陷在背水陣裏了！
趕快下去罷。
我們逐着泉流下去；

踩着石磴下去；
攀着葛藤下去；
我們更從沒有路的山坎上跳下去。

* *

我們不在月宮院裏換衣服，
要用脈管裏的熱血一綫一綫的把他們烘乾！

二十三

震動五老峯的瀑布聲才出在這裏呵！
走了七八里的雨路卻到了團山凋的土梁上了。
三疊泉旁邊掛着三鋪白珠簾似的，
活活活的只在東邊的山腰裏亂吼。

西邊凹凹凸凸的九疊屏着上了雨裝，
直像孔雀張開了翠翎子。
兩邊山從一條很深的夾溝裏用閘山澗的土梁
連起來；
土梁只得竟像一條綫。
——世界上也有這樣的奇景麽？

※　※

走過閘山澗便是東方寺。
一個帶髮修行的齋婆開了門來接着我們。
她穿着和尚領的衣，
下襟都破成掃箒了。
我竟驟認她做日本人。

我們到一家小店裏去喝燒酒，
吃乾魚，
回頭再來用她給我們炊的紅米飯。

二十四

萬丈崖不知道量來有多少丈？
崖邊可以再看三疊泉。
但他最低最長的一疊卻給崖嘴遮住了。
滿山的子松。
我們儘攀着子松癡看三疊泉的上兩疊。

※　※

滿山的子松。
子松上長着青的，赤的，，桑桑的松子。

摘他一大把回去，寄他心念着我的：
她寄一顆；
他寄一顆；
他和她和他都各寄一顆。

＊　＊

滿山的子松。
我們儘攀着子松癡看三疊泉的上兩疊。
挑子卻忙脚忙手的走着：
「快走喲！
快走喲！
天晚了！
山貓就要出來了！

天晚了！」

他口裏更不住的這麼唸着。

二十五

天眞要晚了。

夕陽着意把他的胭脂色來媚人。

湖光也紅了。

雲影也紅了。

豬血泥的土更紅了。

白衣白帽以至於人面都紅了。

子松土的翠卻更翠得可愛。

哦，你穠豔的胭脂色，

中央公園裏的胭脂色，

不想你又尋我到這裏來了！

*　　*

天眞已晚了。
我們恰走到平地了。
再去五里就是土橋街了。
滿天的星星亂着往來的螢火。
稻田和四圍的山色都黑成一片。
我們走過一座白石橋，
蛙哪，流水哪，
秧雞哪，草蟲哪，
都在黑成一片的稻田和四圍的山色裏啁啾，
好像一羣瞎子在奏樂。

二十六

一口氣走到土橋街，
街上的老小都來看我們。
我們宿在一家沒有招牌的飯舖裏。
我們全懂得他們的話；
但他們竟說他們不全懂得我們的話。

＊　＊

老老板娘少老板娘都很賢惠的。
他們給我們溫湯；
給我們炊飯；
給我們煮豆腐；
讓了他們自己有帳子的床來給我們宿。

我看他們手上生滿了蚊瘡，
知道他們的帳子有破孔。
却是最難得的是少老板娘胸前兩個圓滿的大奶。

她眞是幸福呵！
她竟毫沒有染着都市氣！
哦，祝福你少老板娘！
祝福你康健！
祝福你養兩個又紅又黑又胖的好孩子！

二十七

十一日晴。

脫靴子；

換草鞋；
再上山；
蟬聲泉聲又遠遠的來迎我們了。

二十八

三里走到海會寺，
是一座領有崇山峻嶺茂林脩竹的古廟。
有幾個和尚在唸經；
有幾個和尚在種菜；
有幾個和尚出來接着客。

* *

有白蓮花。
有紅繡球花。

有三層樓上的鄱陽湖。
有清淨。
有唐朝傳下來的老契紙。
有特別使我感動的字畫。
我約智明方丈要寄兩幅西洋畫送他。

＊　＊

他把普超上人血書華嚴經給我們看，
我給他糊裏糊塗的題了些東西。
我約他三十年後再到這裏來。

二十九

白雲在天上往來。
太陽毫不假借的曬着。

兩岸直而且高的松樹夾着。
鳥聲和蟬聲競奏，髣髴聽出當年的絃歌聲。
溪水潺潺的迴流，清亮得令人直想跳下去。
遠遠萬綠叢中襯出一道紅牆壁，
我們知道白鹿洞就在眼前了。

※　※

可憐的清流呵！
我們如何捨得你！
我們不忍直進白鹿書院去。
我們且過獨對亭；
且在石橋欄干上坐着看水；
且拋石子開打橋下黃荊叢裏的百合花；

且從枕流邊跳下溪裏去洗澡。

＊ ＊

我們越洗澡越樂了；
我們越洗澡越孏了；
我們越洗澡越不忍起來了。
煑蛋以爲餚；
清流以爲酒；
石闕的高潭以爲杯。
我們舉頂至踵的全投在酒杯裏。
我們醉了便在枕流的斜石上睡着。
我們越洗澡越樂了；
我們越洗澡越孏了；

我們越洗澡越不忍起來了。

※　※

我們越洗澡越樂了；

我們越洗澡越嬾了；

我們越洗澡越不忍起來了。

我在枕流的斜石上睡着。

我想曾點畢竟算狂得愛人，他獨志在浴乎沂，風乎舞雩，詠而歸。

我想仲尼畢竟也算是解人，只不知道他遊舞雩也曾在那裏嘗試過沒有？

我想考亭應該至少總在這裏洗過澡的。

我們越洗澡越樂了；

我們越洗澡越媚了；
我們越洗澡越不忍起來了。

※ ※

右岸山坎上還托着一座奎星閣，
我們已沒有心還上去看他。
白鹿書院已成了江西農業專門學校白鹿洞演
習林事務所，
是一所經過兵燹荒涼的大院子。
院後剩着白鹿洞，
是一個立方一丈多的小石洞
圓頂以象天；
方趾以象地；

規模粗具的一個石鹿卻立在洞裏。
院裏剩着玉蟾真人草書白鹿洞歌的石刻。
正殿裏剩着石刻吳道子畫仲尼的遺像。

三十

十五里走到南康。
城是圮了的；
街是朽了的；
街房上的瓦多半都是破碎得不忍看了的。
家裏的狗逐出門來吠生客。
老鷹撲下街邊的案上來攫肉吃，就是小孩子
也得要戒嚴他。
婦人正作上海十年以前的時髦。

徃上的老小都帶着一種驚詫的神光來打量我們。

鄱陽湖的水從小西門浸進城裏來，

牧牛的便騎在牛背上趕着許多的牛在水裏來往。

通城沒有照像的。

通城沒有有蚊帳的客棧。

三十一

錢家湖裏盪舟。

山影連鎖似的環繞在湖面。

暝色帶來些模糊塗在篙革上。

鯉魚斑的紅雲映在湖面織成絲絲的皺綃紋。

波紋由紅而橙黃了，
由橙黃而綠了，
由綠而油碧了，
由油碧而藍了，
由藍而黑了。
天守着晚了。
乘晚攀登落星島，
有橫直十來丈的荒地，
有黃荊花，
有鐵芭茅花，
有茸茸阻人的瘦草
回望南康沿湖的漁火襯着城裏幾點明暗的燈

光。
滿天的星子照着槳聲送我們回去。

三十二

我覺得修到中國的山水眞幸福！
他們的主人竟肯這麼樣放任他們！
有這麼多的寺院竟沒有設學校。
有這麼大的瀑布竟沒有安發電機。
有這麼富的礦產竟沒有人開採。
有這麼遠這麼高的重巒疊翠竟沒有培植過森林。

三十三

他們的主人竟肯這麼樣不騷擾他們！

只怕不能趁路回九江，
我們恰等到天亮就起來了。
我們要到馬迴嶺去趕上火車。

＊　＊

出西門，
渡西湖，
過西觀，
越樟恕橋，
趁一帆風順罷了。

＊　＊

哦，前天我們親自摩過的五老峯，不正插在
右山的雲裏麼？

左山巍巍然矗立，直插天外，白雲鎖着他的峯頂，不就是漢陽峯麼？

漢陽峯的右肘下，兩個尖峯並立着，不就是雙劍峯麼？

再其下青翠欲滴，圓潤如饅頭的，不就是秀峯麼？

馬尾泉孏孏的白着。

瀑布泉卻怒撼撼的從秀峯的萬丈懸崖上掮下來，磅礴在十幾里外的湖裏都聽着濤吼。

秀峯寺夾在兩條瀑布的中間，隱隱現出一叢黃綠黃綠的竹子。

竹林上面山腰裏，從葱蒨裏冒出兩道炊烟，

髣髴又是一所大古刹，不就是黃巖寺麼？
白雲一縷一縷的在半山上鳥出橫綫。
哦！　好豔麗的朝陽，好蒼翠的山，好綠的水呵！

三十四

曾經華嚴瀧難爲瀑布，
今年五月裏我游日光已經寫過了。
我是這麼樣寫的：
「雪那樣的白；
雨那樣的濺；
銀河那樣的瀉；
霧那樣的飛騰；

雲烟那樣的縹緲；
海破天崩那樣的駭人；
大鐵槌打在地上那樣的震動。
疑是中禪寺湖的神龍貪愛陽山上的櫻花吐
出了白涎！
疑是威娜司爲了天下有情人拋出一條長帶
子！」

曾經華嚴瀧難爲瀑布，
今年五月裏我游日光已經寫過了。
我是這麼樣寫的。

* *

我們走到秀峯寺遠看瀑布泉。

我們更走到龍潭去飲他。

他隔我們還有六七里，

但我們沒有工夫再逼攏去了。

我也沒有筆力把她比寫華嚴瀧更寫得好那麼

寫出來。

但是——

看哟！

鄱陽湖七百里的全景盡當在他的眼底，

這是怎麼樣的宏麗！

泉從崖腹上瀉下來，

這是怎麼樣的奇橫！

香鑪峯上的鐵塔緊對着泉口，彷彿一脚可以

跨過去似的，

這又是怎麽樣的警策！

哈哈！李白看他做一幅畫，

我卻要讀他做一篇八股文了！

但是——

我不知道山上也有一塊湖沒有？

三十五

我們繞着廬山的脚向東去。

我們儘跟白色的道兒走着。

我們儘餐廬山的秀色。

但他似乎已給大太陽晒萎了。

我們覺得他不似早晨的媚了。

我們更₹得他渴得要死了。
走過萬頃的稻田，
熱風騰騰的烘着。
右邊一所圍牆繞着的大古廟，
峯上承着一座插入雲裏的鐵塔，
聽說這裏是歸宗。
忽然田角裏扇出一股黃荊風，
他滲着水荊芥的茶味兒。
我們頓覺得廬山又張開笑靨了。

三十六

十里走到隘口山。
走了五里還有二十里；

走了十里還有十六里；
走了十五里還有十二里；
走了二十里還有八里；
還二十里眞長呵！
越陌又度阡，
沿嶺又翻山，
遠遠還望不見馬迴嶺。

※　※

一條寬溪攔住了。
沒有橋；
沒有溜子；
也沒有跳磴子。

我們只得脫下靴子，
紮上褲子，
赤着脚涉過去。

※　※

這麼好的路呵！
春秋時代的好路呵！
我想寫他出來只怕沒有人來了；
我想不寫他出來又怕他竟自不修了。
（別的路也何嘗不是這麼的？）
眞敎我的筆左右爲難呵！

三十七

我的廬山呵！

多謝你的好風景！

請你放心，

我已趕上馬迴嶺的火車搭回九江了。

我又到外湖裏來看你來了。

你可能撐下你的臂到烟水亭邊來和我握握手？

* *

縹緲的廬山只不答應我。

※ ※

白雲淡淡的掃着。

* *

縹緲的廬山，眞難看出他的眞面目呵！

白雲漸漸的濃了。
我眞慚愧，
我竟還認不眞他。
白雲呵！
吐你出來的是五老峯麼？
秀峯麼？
牯牛嶺罷？

※　※

一閃便成了金世界了！
西望金紅的一長片正閃着金光，
上面包着藍黑的雲，
再散開淺藍的雲，

再散開瀰望淡綠的天。
湖波也起起落落的閃着顆顆零零碎碎的金
光。
迴望廬山，只現着一顆峯頭了。
他已擁擁腫腫的着上了紫金袍了。
世界上所有的東西都籠上了紫金色。
（七月八日至十二日）

鬬虎五解

一

誰能剪虎的爪，取他們的牙？
不能，就莫如聽他們自鬬。

二

我們眞不能剪他們的爪，取他們的牙麼？
不要因爲我們只是徒手呵！
趕緊修好我們的槍，
裝上我們的彈。
他們鬬的要鬬死了，
鬬的要鬬傷了，

——至少也要兩個都倦了。
不然，他們又要鬬餓了！

三

我們不要惜他們，
所以我們不要勸他們；
因爲他們在一天總是要噬我們的。
我們不要恃他們，
所以我們不要助他們；
因爲他們在一天總是要噬我們的。

四

鬬虎雖不免要蹧踏我們的粮食，
但沒有了他們，我們就永遠幸福了。

五

鬭呵！　虎呵！　鬭呵！
鬭而死誠不若鬭而生；
不鬭而生又不若鬭而死！

（七月十三日，九江）

律己九箴

一

天地不是你的父母；
包羅天地的才是你的副象。

二

如厠是早起後第一件大事；
勞動是日間第一件大事；
少用心是晚上第一件大事；
打拳，看星子，是臨睡前第一件大事。

三

除了清風明月，

沒有一件可以是你的。

四

我要做就是對的；
凡經我做過的都是對的。
隨做我的對的；
隨丟我的對的。

五

不要背我以餂天下後世；
不要工具天下後世以奉我。

六

同乎你的是最可愛的；
不同乎你的是最可憐的。

忠你最可愛的；
恕你最可憐的。

七

有孺子歌曰：
「滄浪之水清兮，
可以濯我纓；
滄浪之水濁兮，
可以濯我足！」
纓和足都是咱們要濯的。

八

每到吃飯的時候，
想想你這頓飯吃不吃得值得？

每到睡覺的時候，
想想你今天的事做完了沒有？

九

石門晨門說：
『是知其不可而爲之者與？』
仲尼說：
『其爲人也
發憤忘食，
樂以忘憂，
不知老之將至云爾。』

（八月，西湖）

西湖雜詩十六首

一

月下送來隔船的簫聲，
去年的西湖還認得我。
我只當回家一樣。

二

大家都愛俞家的阿毛。
一天我拉着她的手說：
「毛妹妹，
你愛德熙些麼？
你愛我些？」

她說：

『我一樣的愛你們。』

三

越熱越要跑得快；

越跑得快越要熱；

越熱越要跑得快。

從靈隱一口氣跑上北高峯，

熱都騰上頂門了。

回頭忽見白亮亮的錢塘江，

城郭湖山盡在我們的眼底，

我不知道要怎麼樣寫他，

我只有說不出的愉快，

——血汗換來的愉快！

四

明天我們不要再爬山了。
因爲山花都插滿我們的頭上了，
只怕要愛鮮的，又不忍棄掉了的他們。

五

蓮子說：
「都覺得我的肉甜，
誰嘗到我的心苦呵！」

六

蓮子呵！
我嘗到你的心苦的。

但我要你解解我的熱，
只得把你囫圇吞下去。

七

凡經我做過的都是對的。

，八

中元節的前一晚上，
燒香的便忙著趕上上天竺。
滿湖的浮燈；
滿夜的簫鼓。

西湖公園裏卻靜談着幾個人。

九

雷峯上的狗吠生客，

我用手去摸摸他的牙，
他倒把舌來舐我。
潤斯笑我說：
「狗都親熱你！」
我說：
「我都親熱他呢，
怎麼他不親熱我？」

十

夕陽樓下北高峯，
滿天滿湖都紅透了。
遠近暗綠的山襯着杭州葑湖一帶的紅粉牆。
雷峯塔的上半截最後還顯他的泥金色。

十一

白薇花落了。

儘讓他落去罷。

十二

東西要是可以有主的，

請問法相寺底老樟樹。

問他還認不認得俞家底毛妹妹？

十三

石壁上那裏也塗得有些人名字。

但我們總覺得沒有一個我們知道的。

陟屺亭的石柱上，卻題上好些個衆人都知道的了。

我才和舜生商量着：

「假使馬克斯將怎麼樣解決這個問題呢？」

十四

從毛家舖跑到龍井，

跑到紫雲洞，

跑到虎跑，

我們的脚都跑得很燥了，

才下一陣偏東雨來潤潤我們。

雨卻不停了。

我們只得赤脚紮褲，

戴了衣服做的斗笠跑回來。

半路上雨又停了。

斜陽照出滿天地的金光。
東邊吐出兩道七色的長虹。
我們在喜洋洋的綠芭茅裏蹦跚着，
好像扮了脚色在演着色的影戲。

十五

我總想問問西湖的神：
「假使電車路修到上天竺，
眞就使這些山俗了麼？
假使湖裏行駛小汽船，
眞就使這些水沒有古銅色了麼？」

十六

德熙去了，

少荆來了。
少荆去了，
舜生來了。
舜生去了，
葆青絳霄終歸在這裏。
誰配管領湖山呢，
我卻暫時作他們的主人？

（七月至八月）

一封沒寫完的信

四五個月沒有家裏的信了，
忽然接着她封白紙的長信。
我便不忍讀他，
便安頓了副熱淚去讀他。
字字的青椒，
字字的梅子，
——是封沒寫完的信。

她說：
「七月十三日從九江的來信收到了。」

她說：
「你的孃老了。
她又常常生病。
她成日家念着她的孫兒；
她成日家把臉洗着她的淚兒。
她好容易盼到你可以回來，
如今你卻不回來了！
她說，她會看不到你了！」
她說：
「你的媽頒白了。

她算着你今年要回來，
她天天總對我們說起你：
她說，你今天怕離了北京了；
她說，你今天怕到了漢口了；
她說，你今天怕到了重慶了；
她說，你今天怕要回家了。
她總把甚麼東西都給你留着！
如今卻盼到你的信回來了。

她說：
『你的大姐衰了；
二姐還好；

二弟已帶了小孩子了；
三妹的小孩子壞了；
四妹也嫁了一年多了；
五妹和六妹都長得這麼高了。
他們都眼巴巴的盼着你回來。
他們盼不到你回來，却倒來勸我不要憂氣
！』
她說：
『你不要問我！
你也不要念我！
我病了！

我的病重了！
你幾年來問我，
我總不敢提起我的病；
我只怕你慪氣。
如今——
我往回念你，
只想接着你的信；
這回接着你的信，
卻又不像往回念你了。
我病了！
我的病重了！
我就有些好歹我也心甘。

你給我寄的東西，
我也並不望你的東西。
我也不要你給我買藥。
我的病也不愛給你寫得。
……………」

（九月十七日）

答別王德熙

德熙！
我的德熙！
送別我的詩讀過了。
我有甚麼呢？
我只有滿腔熱血。
你也知道我只有滿腔熱血。
你說，很着重的給我說，
「蓄住滿腔熱血；
走到那裏，
洒到那裏」

洒到那裏，
紅到那裏！」
德熙！
我的德熙！
我的熱血沸了！
我的熱淚騰到眼裏了，
人家說，
血是不可以許朋友的。
我的血卻全是要給朋友的。
我只有回答你說，互相勉勵的說，
「蓄住滿腔熱血；
走到那裏，

灑到那裏；
灑到那裏，
紅到那裏！」
我更敢對世界上所有的好兄弟好姊妹說，
「蓄住滿腔熱血；
走到那裏，
灑到那裏；
灑到那裏，
紅到那裏！」
德熙！
我的德熙！
我的熱血沸了！

我的熱淚騰到眼裏了！
我先到亞美利加去等你！

（九月二十二日，上海）

風色

旗呵！

旗呵！

紅黃藍白黑的旗呵！

（九月二十六日，上海）

草兒在前集卷四

天樂

半夜裏睡醒來，
聽見船下送來一組悠揚的音樂：
欽欽琔琔；
叮叮鐺鐺；
喇喇拉拉；
伊伊邪邪；
夥贏夥贏夥贏。
好莊嚴呵！

好悠遠呵！
好宏大呵！
咸池麼？大韶邪？
可惜我都不會聽過呵！

哦，不是。
是杯盤的相錯聲。
是牙尺剪刀聲。
是風雨打窗竹葉零落聲。
是一羣小孩子踏着脚步的歌聲，
「上學！上學！」
「馬其！馬其！馬其！」

哦，不是。

「撲！撲！撲！

雁呵！雁呵！」

是平沙落雁的琵琶聲。

哦，好急呵！

好沈雄呵！

好多的兵馬喊殺呵！

是一闋將軍令。

哦，不是。

是盧溝橋下的流水哽咽聲。

是荊軻入秦的送別聲。
聽喲！
「風蕭蕭兮易水寒！」
好悲涼的筑呵！

哦，不是。
「縫衣！　縫衣！　縫衣！」
不是縫衣曲和琵琶安儺的相和聲麼？
「穀花兒開喲！
穀花兒開喲！
脫了綉花鞋兒下田來喲！」
不是清明時節的秧歌聲麼？

哦，不是。
好雜沓的羣衆呵！
他們從日比谷公園裏按着玉盃曲唱起出來
了，
「呀呀！　革命到了！
革命到了！
起喲，白屋襤褸之子！
醒喲，市井的赤窮兒！」
哦，不是。
是許多男男女女敲着瓦片的歌聲。

聽喲！聽喲！
「吃我手上的飯；
穿我手上的衣；
跟着上帝的脚後跟行動。」

哦；蠢蠢的上帝呵，
我不願有聰明了！
渾沌的音樂呵，
請你領我到上帝身邊去！

（九月三十日，中國船上）

太平洋上颶風

黃雲擁着太陽；
黑綠的水吹着白浪。
萬頃，十萬頃，百千萬頃零零落落的波濤，都怒掀掀的擠着，推着，嚷着，要爭把太陽吞在肚裏。
太陽卻只高抽抽的冷笑着，斜盼着他們吹氣。
他們上上下下的輝映出一道掠眼的銀光。
哦！ 天垮下來了！
海倒立起去了！

人都騰在半空裏了！
海鳥卻一個兩個，兩個三個，起起落落的挨
着浪花飛漩。
但是，海鳥呵！海鳥呵！
你今夜宿在那裏？

（一九二〇年十二月二日，乃路船上）

舊金山上岸

說道就上岸了，
大家都走上甲板來。
哦，好奇麗呵！
太陽抽出絲絲的金線，繡成一幅黃金的幔子。
舊金山背着太陽的面，塗成一團濃黛。
綠山邊滿襯着朱黃的朝霞。
越到西邊的黛暈越淡了；
朱黃色也隨着黛暈淡了。
淡到沒有了。

由各色的街市漸浸入黃金世界裏去了。
海卻黃綠黃綠的皺着金波。
髣髴他們都堆着笑臉歡迎我。
我說：『不必——
不必舖設這麼富麗的儀仗。
你們堆着副普魯多克拉西的（一）笑臉來歡迎我，
只有博得我的心痛呵！』

（一九二〇年十二月十二日）

（一）plutocratio

和平

坐在金門公園裏大樹子邊聽音樂，
側邊一個三四歲的美國小孩子望着我笑。
他眼裏飽蓄着慈祥的愛。
他只當我一個哥哥那麼親熱我。

回頭給他的娘看見了。
她也忍不住笑望着我。
她眼裏飽蓄着慈祥的愛。
她只當我一個男子那麼親熱我。

（一九二一年一月二十五日）

致悲哀的朋友

弱者使人憐。
柔者使人愛。
健者使人敬。
強者使人忌且畏。

朋友俊公說：
「使人憐不如使人愛；
使人愛不如使人敬；
使人敬不如使人忌且畏。」

咱們不必使人忌且畏；
卻千萬不要使人憐呵！
可憐的弱者呀，
悲哀的朋友呵！

（一九二二年七月十八日；美國卜技利）

再致悲哀的朋友（有序）

前詩致悲哀的朋友，才得覆信，頗自承爲弱者；卻自謂悲哀毫無所爲，而以取憐爲過於羅織。其實前詩不存褒貶，聊圖淬厲罷了。特再草幾行慰他。一九二二年九月十五日記。

人怎麼樣愁呵！
越愁野心越大；
野心越大失望的事越多；
失望的事越多越覺得世界不可救藥；

越覺得世界不可救藥便只有自娛於悲哀了。

悲哀的朋友呵，

試斂斂自己的野心罷。

草兒在前集

[illegible] 16

四版重校書後

多謝讀者！草兒在前集三版既罄，行又四版了。三版付印的時候，著者正在異國；校勘之勞，不能不累朋友汪乃剛應修人兩位代任，錯訛極少，十分感謝！不過別人代校，究竟還不免有些少錯訛，特于四版重校更正。此後錯訛、或者絕無僅有了。

草字白情，從前攷大學的時候偶然一用，遂不得不以字行。後來試經改易、頗覺約定俗成，親友終沿故習。從這點小事上、也可見社會力之大，改革不易；只得從俗仍用現名。

三版修正稿，刪去初版裏的新詩多首，大半本依著者臨時的好惡，不必就不是好詩。著者元是鄉下人，未免常存鄉下人的見識。偶然興之所至，寄意美人香草，抒寫性靈，積作情詩不少。七八年前，社會上男女風俗，大與今日不同。著者雖也爲主倡男女道德解放的先驅，而鑒於舊人物的擯斥，尤其是新青年的猜忌，竟不敢公然發表，生怕淺人以詞害意，枉碍解放運動的前途。因此初版裏偶收幾首情詩，也就拿鄉下人的見識給刪掉。如今却大不同了。舊存情詩多首，正打算抽暇編理，刊布專集。而初版舊著重讀，更令人生無窮的感慨。即如自得一首，寄意靜觀，留華如流，此情難再。天亮了三章，爲歷來海內新詩壇不可多得的獨幕劇詩，和胡適教授的滑稽喜劇終身大事；同其背景。詩中全寫女孩兒家口脗，當時嫌他格調纖弱，所以割愛。如今看來逃婚還算得甚麼希奇呢？這首詩覺得頗有史味。並且著者也太偏于抒情寫景兩方面了，劇詩也似乎該略備一格。題仕女繡幀四首，風格高雅，不料成讖。孔丘的逃亡二章，實在未能免俗！不過着筆時確有深痛。今日盜滿天下，轉覺得其痛彌深！答五妹玉璋，直抒姊妹之愛，淋漓質樸，眞趣盎然。一定不載，又覺得未能免俗了！這幾首詩，統擬重收在四版卷三裏；只爲印刷上的困難，特附歸卷尾補遺。

幾年來僻口四方，俗塵斗積，縱得閒適，也只喜歡把玩眞際，惟恐不及，不大願親筆硯。除間或著情詩自娛，擬出專集外，少著新詩；就有也不堪發表。只有先母棄養，曾作誄詩；風樹之思，終天之恨，哀慟曷極！嗣後每想慈顏，就覺得悲不自勝，而于這次重校舊集，讀到從前懷母之作，更加傷感。于是增錄哭祭先母四章在補遺裏，聊以這部集子的四版，紀念先母的德範呵！

一九二九年一月二十六日，

康白情識于上海。

草兒在前集補遺

自得

中夏什刹海的清晨
是一組複雜的音樂，
是一幅活的畫。
鐵嘴兒飛着嘰哩呱喇的叫。
鵪鶉兒對對的跟着，唧的一聲，又投向蘆葦裏去
了。
白的小蝴蝶兒端在空中飄着惹燕子。

柳陰裏露出幾欄遮剩的紅樓。
一根挑子走在樓下叫白菜。
濤裏有些魚兒跳出水來曬肚皮,
——翻出水紅色的白肚皮——
碧水一抖,又振起一個圈兒。
忽然飛來一隻白鷺,夾了一尾去了。
滿藍空裏的白雲;
滿遠山的黛暈;
滿湖的紅藕。
滿擠的綠桃子紅李子在一家屋簷下擱着,

賣東西的卻坐在一塊青石磴上打渴睡。
隔岸一個赤膊的，嘰嘎嘰嘎的推過滿車白亮亮的冰。……

一組複雜的音樂，
一幅活的畫，
畫在中夏什剎海的清晨裏。

（一九二〇年六月廿二日，北京）

天亮了

「天亮了麼？
夜哇子呱呱的飛着
我的夢醒了。
起來；
摸我的箱奩；
收拾我的行李。
月光從亮瓦裏透進來，照在帳鈎上。
夜來香隔着娘的屋子香過來。
娘啊！我怎麼捨得你？（一）
只是你们我錯愛了。

伱怎麼不諒諒我的心？
伱怎麼不想想伱當年的自己？
伱不曾也誤過麼？
伱自己誤了還不够，還要誤伱的女兒麼？

「村裏的狗吠得好厲害！
雜着窗外繇繇的蟲聲。
我的行李收拾好了。
鷄兒也喚過了。
月光已斜到粉壁上去了。
天大概要亮了。
屋裏都罩着模糊的影兒，

——怕喲！
屋梁上一炸，好像嫂子沒有睡着的嘆聲。
嫂子呵，只有你知道我的心；
只有我的心知道你知道我。
只是你當初也太隨人擺佈了。
從今後誰來慰你？
也誰來慰我？
願你珍重！
願咱們都自慰喲！

「雞叫了。
老哇也離枝了。

我的心亂了。
窗上蒙着粉白的顏色，——天就亮了。
去麼？
回到床上去睡麼？
鏡子裏隱着個作難的我。
抽開門兒看看罷。
東方已挂上了幾片很淡的紅雲。
木槿花的香醉得人好孄！
卻是他香得怎麼樣自由！
唵，去罷！
梅子樹上的小鳥也驚起來了。
芭蕉的涼露滴在我頭上。

哦，這是我手栽的，

是伴我讀書的密友！

芭蕉呵，為甚麼你總對着我悶悶的？

你惜別麼？

咱們今天不別，就終久不別了麼？

我的淚不能軟了我的脚。

你別傷心。

我望着你點點頭，你望着我笑笑。

你好好兒長着呀，芭蕉！

你別傷心，我去了！」

（六月廿三日，北京）

(一)你，同您，對第二人的尊稱。又有『他』

字下着『心』字，讀如探，是對第三人的稱；同因字形不好看，又不好寫，改寫作『怹』。至于『他』字，以爲只須有『她』字足以辨別陰陽，已經夠了。『的』字在文典上用途甚廣，決不止于三類。似乎都宜概仍其舊，以免治絲而棼；不然，如『兒』字，『家』字，『價』字，有時都足以代替『的』字，又將怎麼辦呢？ 尊稱是社會上原有的習慣，約定俗成，東西各國都有，廢掉似不足以饜人類表示敬意的感情。 案『您』音作你儂切；以粵音例之，似和『怹』字同由『你們』『他們』等複字音速讀拼切而來。卽如「俺」字自己尊稱，恰如「我們」兩字的拼切，其理相同。也同日本人有身分的自稱吾等（瓦嘞瓦嘞）一樣。大抵對個人用單數稱呼，似不足以表敬，因而無意間用複數，不意久後竟成了另外一個字啊。

題仕女繡楨四首（爲彭夢民夫人）

一

只有雪配作麥子的朋友；
只有松配作雪的朋友。

二

稻田裏曬着好些個打穀子的，
汗滴在水裏皺皺的響，
荷葉的笠也焦得不中用了。
忽然透來幾陣風，
涼得他們穀子都不想打了。
他們謝謝風，

——看出茅簷邊綠蔭蔭的竹子。

三

欒家種的花好幾畝呢。
他們的女兒卻最愛菊花。——
清晨餵他；
晌午餐他；
晚上摘下他挑到市上去。

四

一年累到頭的年來了。
年年栽籬笆的梅開了。
快摘下些花來，過個鬧熱年罷。
白的傘給老婆子。

紅的拿給女兒。
開得好的拿去送周家
開緊了的拿來壁上插瓶子。
（六月二十四日，北京）

孔丘的逃亡

盜跖致來覺書給孔丘說：
「來，來！
願你入夥！
我們有盈箱的美衣；
我們有盈案的美食；
我們有住不完的高樓大廈；
我們有煊赫的光榮，
甚至於有千秋萬世的光榮。
我們誠意歡迎你。
你要甚麼我們都給你。

而且我們爲你預備了頂華美的軒冕。

來，來！

願你入夥！」

孔丘也十分感謝他們的誠意。

但他只得答謝他們說：

「謝謝你們！

這些東西我都用不着。

要是當眞愛我，

何不你們白己出你們的夥？」

他們又致來哀的美敦書給他說：

「來，來！

你必得入彀！
我們不能隨便放鬆你。
你不能不受我們的抬舉。
你必得入彀！
要不，你就自殺！
要不，我們就只有最後的手段對付你！
來，來！
你必得入彀！」
他決不入彀。
他又不屑于無誠意的入彀。
他決不自殺。
他也不能螳臂當車的和他們宣戰。

他只有痛哭。
他只得抱了祭器木主逃亡去了。
（一九二〇年七月十五日，九江）

答五妹玉璋

春哥兒，我的么妹兒！
好幾年沒挨你的臉了，
你怕長得這麼高了呢！
你的信眞寫得好呵！
你還記得我帶你去抓花生，跌到堦緣下麼？
我一邊讀信，
一邊鼻尖上眼角裏上不住辣。
我很恨我不能教你的書！
那幾年，我愛抱你親嘴。
六年後我回來，還要抱你親嘴呢。

六年後我回來，或者你已經嫁了，——
你會不會害羞？
我說，這有甚麼可以害羞的？
你好好兒讀書，
好好兒領着晚晚讀書，
這是…………
春哥兒，我的么妹兒！
六年後我回來，還要抱你親嘴呢！

（一九二〇年九月十日，上海）

哭祭先母

媽呀！
你在那裏？
媽呀！媽呀！
怎麼叫不答應呀？
這眞像做夢喲！
你竟丟我們去了！
往日慣端了飯來，
你在病裏，
你不願說話，
還搖搖頭似說不吃。

今日價擺了飯來，
覺連頭也不見你搖搖了。
媽呀！
你到底在那裏？
還聽不聽見我們哭？
看不看見我們跪着？

媽呀！
你這輩子好苦呀！
自從阿爺死了，
家裏錢緊，
你沒穿[illegible]好的；

沒吃個好的；
沒用個好的。
別的不用說了，
伱沒自己要弄樣甚麼好菜，
除非兒女要吃。
爲得沒錢，
伱還憂過些好氣。
恰到伱的兒能掙錢了，
你就又去了！
如今——
就宰百隻豬來祭伱，
千頭羊來祭伱，

萬條牛來祭你，
可又有甚麼益處!?

媽呀！
你這輩子爲的甚麼呀？
你年輕的時候生兒育女；
年壯的時候養兒教女；
年老的時候婚兒嫁女。
兒女的債還沒完，
那孫兒孫女又來了！
你一生一世忙着，
無非爲我們兒女；

我們竟把㑚磨死了！
我們就粉身碎骨，
那裏能報你萬一？

媽呀！

難爲㑚教我們哪！
——難爲㑚的德教！

㑚不說的，
「不打不成人，
黃荊棍兒出好人」？
我們倒成了好人了；
只是向那兒去再討㑚的打去？

記得九歲的時候挨界方，(一)
曾爲這個逃過一回學，
我要問塾師出在那一部經上。
㤿一面續絲，一面比古，一面誆我說，
「梓兒，我還要靠你呢！
你淘氣不讀書，
我怎麼能靠你？」
我一陣心酸，含着淚就去了；
從此就再也不逃學了。
從此，我但凡做甚麼有惰心，
往往就能想起當時的情景；
往往就會想起這幾句話；

往往我的精神馬上就振了。
如今——
你卻怎麼樣靠我!?
媽呀！
幸喜你的兒女都成了好人了。
你也太累了。
歇歇罷！
媽呀！
好好兒歇歇罷！
不要再以我們爲念！
尙享！

(一)界方就是驚案，又作鎮紙。書經上說，「扑作敎刑。」又說，「夏楚二物，收其威也。」拿界方作敎刑，所以認爲不典。

中華民國十年十一月初版
中華民國十三年七月修正三版
中華民國十八年四月四版補遺

草兒在前集（全）
每册定價洋五角五分
外埠酌加郵費

著者　康白情
發行者　亞東圖書館　上海五馬路棋盤街西首
印刷者　亞東圖書館　上海五馬路棋盤街西首
分售處　各省各大書店